COLLECTION POLITIQUE ET SOCIÉTÉ

dirigée par Louis Balthazar
en collaboration avec Fernand Dumont et Jean Mercier
coordonnée par Yvon Johannisse

LOUIS BALTHAZAR

Bilan du nationalisme au Québec

l'HEXAGONE

Éditions de l'HEXAGONE
900, rue Ontario est
Montréal, Québec
H2L 1P4
Téléphone: (514) 525-2811

Maquette de couverture:
Jean-Marc Côté

Illustration de couverture:
photo de Pierre Perrault
Épave du Rose-Hélène à l'Isle-aux-Coudres

Photocomposition:
Communication Texcom Inc.

Distribution:
Québec Livres
4435, boulevard des Grandes Prairies
Saint-Léonard, Québec
H1R 3N4
Téléphone: (514) 327-6900
Zénith 1-800-361-3946

Réplique Diffusion
66, rue René Boulanger
75010 Paris, France
Téléphone: 42.06.71.35

Dépôt légal: premier trimestre 1990
Bibliothèque nationale du Québec
Bibliothèque nationale du Canada

À mon père

INTRODUCTION

Il est difficile de penser au Québec sans penser au nationalisme. C'est donc un sujet dont on a beaucoup traité dans la multitude de livres consacrés au Québec d'hier et d'aujourd'hui. Mais, chose étrange, aucun ouvrage n'a encore été consacré à une synthèse du phénomène nationaliste comme tel en terre québécoise. L'excellente étude de Léon Dion, publiée en 1975 sous le titre *Nationalismes et politiques au Québec*[1], visait surtout à éclairer les différents visages idéologiques du nationalisme des Québécois et se souciait assez peu de la dimension historique du phénomène. D'autres études s'arrêtent à la «question nationale» dans une perspective marxiste, ce qui peut être éclairant à certains égards mais souvent fort décevant pour ceux qui n'acceptent pas ce cadre d'analyse.

Au cours de recherches sur l'évolution du nationalisme en Amérique du Nord, j'ai longtemps rêvé de produire une synthèse historique de grande envergure sur le sujet. À mesure que les années passent et sans cesser de rêver, la complexité d'un tel projet m'apparaît de plus en plus grande. J'ai cru bon pour le moment de coucher sur le papier un certain nombre de considérations relatives à l'évolution du nationalisme au Québec, de traiter le sujet dans toute son ampleur historique mais sans m'arrêter à toutes

1. Montréal, Hurtubise HMH, 1975.

ses manifestations et sans la moindre prétention à être complet. Inutile de dire que je ne fais pas oeuvre d'historien. Les relations historiques faites dans ce livre se veulent exactes. D'autre part, des événements importants relatifs au sujet ont pu être omis. Les pages qui suivent comportent un survol historique, non pas une étude détaillée.

L'objectif est de dégager les grandes tendances, les grandes orientations du nationalisme au Québec à la lumière de quelques propositions théoriques énoncées au premier chapitre. Le second chapitre s'attache à établir les fondements et les origines du phénomène en fonction des notions élaborées précédemment. Distinguant ensuite entre trois conceptions différentes de l'appartenance nationale, un chapitre est consacré aux manifestations du nationalisme au Bas-Canada, au début du 19e siècle, puis deux autres au nationalisme canadien-français au cours du siècle qui suivit. Le chapitre sixième s'arrête à la période de transition entre l'ancienne et la nouvelle société québécoise de 1945 à 1960.

Le reste de l'ouvrage porte sur le nationalisme québécois des vingt-cinq dernières années. Le chapitre septième s'emploie à décrire la dynamique de ce nationalisme[2], le suivant, à relever les ambiguïtés découlant de la polarisation des orientations au cours des années soixante-dix. Le chapitre neuvième porte sur le référendum relatif à la souveraineté-association et sur ses suites. Enfin, un dernier chapitre cherche à établir une sorte de bilan des vingt-cinq années et à projeter quelques idées sur l'avenir.

L'ouvrage de Léon Dion cité plus haut découpait, de façon fort éclairante, le nationalisme des Québécois en quatre grandes orientations socio-économiques (conservatiste, libérale, social-démocrate et socialiste). Sans le moins du monde rejeter la pertinence de ces distinctions surtout dans l'univers de

---

2. Ce chapitre reprend, avec quelques modifications, un texte déjà paru dans un ouvrage publié sous la direction de Gérard Bergeron et Réjean Pelletier, *L'État du Québec en devenir*, Montréal, Boréal Express, 1980, pp. 37-58.

1975, j'ai cru plus opportun, par choix personnel autant qu'en fonction de la conjoncture de 1986, d'insister sur le dénominateur commun à toutes les tendances nationalistes, sur ce qui apparaît comme le nationalisme propre à une majorité de Québécois, le mouvement qui tend à rassembler plutôt qu'à diviser.

La période présente, alors que les grandes clameurs nationalistes se sont tues, paraît être, plus qu'aucune autre, propice à la réflexion sur un phénomène qui a occupé une si grande place dans notre vie collective, pour le meilleur et pour le pire.

Aussi bien en avertir le lecteur dès le départ. Tout en visant à la plus grande objectivité sans jamais l'atteindre, j'éprouve une certaine empathie pour le mouvement nationaliste québécois sous ses formes les plus modérées et une profonde aversion pour les fanatismes de toutes couleurs.

CHAPITRE 1

Qu'est-ce que le nationalisme?

Le nationalisme est un phénomène universel. Il s'est retrouvé, au cours des deux derniers siècles, chez une quantité innombrable de populations et à peu près sur tous les points de la planète. Aucune autre idéologie, aucun autre mouvement social n'ont constitué un instrument de rassemblement aussi puissant depuis la Révolution française. En raison même de cette puissance redoutable, le nationalisme fait peur. Mais, en même temps, ce phénomène social est nettement sous-estimé. Il s'est toujours trouvé plusieurs observateurs pour le considérer comme une folie passagère et pour annoncer sa disparition. Ainsi, au début du 19e siècle, les légitimistes conservateurs se faisaient fort de proclamer la fin de l'illusion nationaliste alors que le nationalisme faisait son chemin à travers toute l'Europe. Un siècle plus tard, l'Internationale socialiste signalait le déclin des solidarités nationales: jamais, croyait-on, les travailleurs français n'accepteraient de prendre les armes contre leurs camarades allemands. Après le second conflit mondial, dans l'euphorie qui a suivi la création de l'Organisation des Nations unies, la plupart des intellectuels annonçaient la fin des antagonismes nationaux. Le nationalisme, croyait-on, avait été écrasé avec le fascisme qu'il avait engendré.

Pourtant, des mouvements nationalistes ont réapparu un peu partout. D'abord dans le Tiers Monde à la faveur de la décolonisation. Puis, au cours des vingt dernières années, au coeur même des pays industrialisés, sous la forme de ce qu'on a appelé plus ou moins heureusement le «Renouveau ethnique». Il s'est encore trouvé des observateurs pour sous-estimer ces nouvelles tendances et les considérer comme des conséquences d'autres phénomènes plus importants.

C'est là peut-être une des raisons pour lesquelles le nationalisme a été relativement peu étudié. Il faut noter aussi que l'idéologie nationaliste (si l'on peut employer une telle expression) est loin d'offrir la richesse doctrinale et la cohérence intellectuelle d'autres idéologies sociales comme le marxisme, par exemple. En France, notamment, le pays où l'on s'accorde à voir les origines du nationalisme, là où se sont élaborées les définitions les plus libérales de la nation, les études sérieuses et équilibrées sur le sujet sont extrêmement rares, au moins au cours des trente dernières années. À part d'heureuses exceptions, comme les écrits de Raoul Girardet et de Jean Plumyène[1], c'est le silence presque absolu des intellectuels sur une question qu'on s'est accoutumé de voir traiter surtout par des militants de droite, adeptes du «nationalisme intégral» ou de ses variantes ou encore par des militants de gauche qui dénoncent sans quartier ce qu'ils considèrent comme instrument d'exploitation des masses au service de la bourgeoisie. Tout se passe comme si les Français avaient honte de leur histoire nationaliste ou du moins éprouvaient une certaine gêne à l'égard d'un phénomène qui a donné lieu, dans le passé, à des manifestations plutôt détestables. Le mot «nationalisme» en est venu à recevoir une connotation péjorative, de telle sorte

---

1. Voir en particulier Raoul Girardet, *Le Nationalisme français. Anthologie.* Paris, Éd. du Seuil, 1983; Jean Plumyène, *Les Nations romantiques*, Paris, Fayard, 1979. Voir aussi un numéro de la *Revue française de science politique* portant sur le thème «Nationalisme et nationalismes contemporains», Paris, Presses universitaires de France, juin 1965.

qu'à peu près personne, en France, à part les militants d'extrême-droite, n'accepte de se dire nationaliste.

Il y a quelques années, lors d'un colloque intitulé «Idéologie et nationalisme», organisé par l'Université York de Toronto, un professeur français qui devait traiter du gaullisme se disait fort embarrassé en face du sujet qu'on lui avait confié. «En effet, déclarait-il, le gaullisme n'est ni une idéologie ni un nationalisme». Sans doute ce professeur pouvait-il se donner raison en notant que le Général de Gaulle entendait situer sa politique au-delà des idéologies et à l'encontre d'un nationalisme de droite auquel on avait associé Pétain. Mais qui pourrait nier que le gaullisme, dans un certain sens, constitue bel et bien une idéologie et qu'il est l'expression d'un nationalisme évident? N'est-ce pas un peu jouer sur les mots que de faire appel à la grandeur de la nation, à la conscience nationale, à l'indépendance nationale et de refuser de se dire nationaliste?

Ce sont des Britanniques et des Américains qui nous ont fourni les meilleures études sur le nationalisme. Mais ici encore on peut relever une carence. Les auteurs britanniques et américains s'intéressent volontiers à toutes sortes de nationalismes, mais bien peu aux tendances nationalistes qui se manifestent à l'intérieur de leur propre pays, au sein des majorités anglaise et américaine. Chez les écrivains, comme chez les politiciens, le nationalisme dont on parle est très souvent celui des autres. La grande majorité des auteurs considèrent d'ailleurs le nationalisme comme une sorte de maladie des peuples. Même parmi ceux qui font preuve d'objectivité en décrivant le phénomène sous toutes ses formes, ils sont rares les auteurs qui en relèvent des aspects positifs[2].

---

2. Mentionnons entre autres Anthony D. Smith, *Theories of Nationalism*, Londres, Duckworth, 1971; *Nationalism in the Twentieth Century*, New York, New York University Press, 1979; *The Ethnic Revival*, Cambridge, Cambridge University Press, 1981.

Vers une définition

Faut-il donc définir le nationalisme essentiellement comme une aberration, une déviation, un danger social? En dépit des évidentes catastrophes qui ont pu découler de mouvements nationalistes, je ne crois pas qu'il soit utile de préjuger dès le départ de conséquences irrémédiablement nocives d'un phénomène comme celui-ci. S'il faut réprouver les aberrations passées et présentes du nationalisme, devrait-on pour autant condamner sans appel tous les nationalistes du monde?

Cela serait d'ailleurs particulièrement difficile pour un Canadien. On peut bien s'élever contre le nationalisme au Québec mais serait-il sage de définir le phénomène de façon péjorative avant même de l'étudier? Trop de personnes respectables, à gauche comme à droite, ont adhéré au nationalisme chez nous pour que cela soit permis. Il en est de même au Canada anglais où, depuis une vingtaine d'années, le mot «nationalisme» a conquis ses lettres de noblesse auprès de plusieurs, dans les milieux intellectuels et politiques, quand il désigne un mouvement qui défend l'indépendance nationale du Canada.

La meilleure définition du nationalisme sera donc celle qui permettra d'étudier l'évolution du phénomène au Québec tout en le rattachant aux grands courants internationaux, celle qui sera assez universelle pour s'adresser à de multiples manifestations sans pour cela trahir la réalité particulière qui nous intéresse. Or, cette réalité ne nous permettrait pas, du moins au départ, de définir le nationalisme comme étant essentiellement le lieu de l'extrémisme et du fanatisme.

Certains auteurs s'en tirent par une distinction entre nationalisme et patriotisme. Le nationalisme est alors habituellement défini en termes péjoratifs tandis que le patriotisme est décrit comme l'expression de la loyauté envers la nation ou le pays. Autrement dit, le patriotisme est bon, le nationalisme est mauvais. La conséquence d'une telle distinction, c'est qu'on est porté à qualifier de patriotisme ou de nationalisme les mêmes manifestations selon qu'on les trouve bienfaisantes ou nocives. Ainsi les Américains parlent du patriotisme inspiré par le Président Reagan mais du nationalisme chez certains peuples du Tiers Monde. On pourrait peut-être apporter d'autres exemples où la distinction apparaîtrait plus éclairante. Mais, dans l'ensemble, je crois qu'elle a surtout contribué à brouiller les cartes.

Enfin, doit-on définir le nationalisme comme une doctrine ou comme un mouvement ou comme l'un et l'autre? Il existe, bien sûr, une doctrine nationaliste, un ensemble de propositions quant au rôle des nations dans la vie des populations. Mais cette doctrine est souvent présentée de façon simpliste et il est difficile de l'envisager en elle-même en dehors de ses manifestations socio-politiques. Un penseur nationaliste est presque toujours doublé d'un militant. Le nationalisme s'est donc presque invariablement présenté comme un mouvement. Un mouvement inspiré par un certain nombre d'idées, mais qui se nourrit lui-même de son propre élan. En somme, le nationalisme s'est entretenu beaucoup plus de «volontés» que de «pensée».

Voici donc la définition qui me paraît la plus appropriée: *Un mouvement qui consiste à accorder une priorité à l'appartenance nationale et à lutter pour une meilleure reconnaissance de la nation à laquelle on appartient.*

Cette définition se veut délibérément très large. La priorité accordée peut être absolue ou relative. Un nationalisme extrémiste pourra inviter ses adhérents à fermer les yeux sur toute valeur qui n'est pas nationale. Un nationalisme modéré pourra au contraire réserver la priorité aux cas où toutes choses sont déjà égales. Entre ces deux attitudes, il y a toute une gamme. «Lutter pour une meilleure reconnaissance», cela suppose une certaine forme d'aliénation, c'est-à-dire que la nation ne possède pas le statut qui devrait être le sien. Cette aliénation peut être totalement imaginaire ou fondée dans la réalité. Un empire peut toujours se sentir menacé autant qu'un petit peuple dominé. La reconnaissance souhaitée pour la nation peut varier beaucoup. Elle peut signifier la souveraineté politique totale, elle peut aussi s'exprimer en termes d'autonomie limitée ou même de simple identité culturelle. Elle peut signifier encore

un plus grand respect accordé par les autres à une souveraineté déjà établie ou l'accroissement de la puissance.

Au centre de cette définition, il y a le concept de «nation»
qui exige immédiatement une autre définition. Qu'est-ce qu'une
nation? Voilà un autre mot qui a été défini et entendu d'innom-
brables façons, un vieux mot qui a reçu plusieurs sens dans
l'histoire. Il sera plus utile ici de lui donner une acception qui
corresponde à son usage moderne. Mis à part l'usage de plus
en plus répandu d'identifier la nation et l'État (ex. «Nations
unies») qu'on doit rejeter dans une étude de ce genre, la définition suivante cherche à regrouper tous les éléments qui sont
le plus souvent inclus dans le concept de «nation»:

> Un groupe de personnes qui, au-delà d'unités élémen-
> taires comme la famille, le clan, la tribu, acceptent
> de vivre ensemble sur un territoire donné, partagent
> un certain nombre de valeurs, d'habitudes, de sou-
> venirs et d'aspirations, parlent la même langue (le
> plus souvent) et sont régis par une organisation
> politique.

Le premier élément de la définition concerne la taille de la
société nationale. Je n'entreprendrai pas ici de définir les uni-
tés élémentaires mentionnées, encore moins de risquer un chif-
fre de population qui correspondrait au nombre minimum de
personnes pouvant être constituées en nation. Qu'il suffise de
dire que le groupe doit avoir été formé et exister pour des
fins générales, pour l'ensemble des interactions de la vie sociale
et non pour des fins spécifiques concernant une activité particulière, comme la chasse, le commerce, l'éducation. Il faut
dire aussi que le groupe devra être de plus en plus considérable à mesure qu'apparaît la modernisation, c'est-à-dire une plus
grande division du travail et la nécessité d'établir un réseau
d'institutions et de communications de plus en plus complexe,
suivant les progrès techniques.

Le territoire est un élément essentiel à l'existence d'une
nation. Comment parler de «vivre ensemble» si cela ne se pro-

duit pas dans un lieu donné? Les êtres humains ont besoin de se voir pour partager des valeurs, des habitudes concrètes. On objectera que des solidarités se sont souvent manifestées à distance et on apportera l'exemple des nations errantes à travers le monde ou des «diasporas», comme les Juifs, les Arméniens, les Palestiniens. Mais, dans chacun de ces cas, le territoire est tout de même présent, soit pour avoir déjà existé (l'Arménie, la Palestine), soit pour faire l'objet d'aspiration (la terre des Hébreux avant la création d'Israël), soit pour constituer un point de rattachement, comme c'est le cas pour Israël aujourd'hui.

L'acceptation, au moins tacite, de vivre ensemble est un autre élément important. Renan décrivait la nation comme «un plébiscite de tous les jours». Le consentement des populations n'est certainement pas aussi explicite. Mais il m'apparaît essentiel de souligner le caractère arbitraire de l'appartenance nationale. Les nations ne sont pas coulées dans le ciment. Là où elles sont libres de le faire, des populations renoncent à une appartenance et s'en donnent une autre. Je reviendrai plus loin sur cet aspect volontaire de l'allégeance nationale.

Les valeurs, les habitudes partagées, c'est là ce qu'on entend le plus souvent par la culture. Il n'est pas facile de préciser quelles sont ces valeurs et habitudes qui différencient les cultures les unes des autres. On pourrait les résumer en disant qu'appartenir à une culture, c'est la possibilité de prévoir les réactions des autres. Cela aussi est un phénomène très changeant. Les cultures évoluent, se dissocient, se fondent. Les souvenirs et les aspirations font probablement partie de la culture. Ils sont sûrement une composante essentielle de la conscience nationale. Cette dernière s'appuie invariablement sur une histoire, sur le sentiment réel ou fictif d'avoir un passé commun, des ancêtres qui ont accompli de grandes choses. La nation s'identifie aussi par des aspirations communes: l'émancipation, le progrès culturel ou économique, etc... On a souvent évoqué la nation en termes de projet.

La question linguistique est plus discutable. Des auteurs se refusent à inclure une langue commune dans la définition de la nation. Il est certain qu'une langue commune n'entraîne pas automatiquement l'existence d'une seule nation. Les exemples pullulent de nations différentes qui utilisent une même langue, comme l'anglais, l'espagnol, le français. On trouve beaucoup moins d'exemples, cependant, de nations multilingues. Les auteurs aiment citer le Canada, la Belgique et la Suisse. Les deux premiers cas sont loin d'être convaincants. Le troisième n'est-il pas l'exception qui confirme la règle, en raison d'un certain nombre de facteurs qui ne se retrouveront jamais ailleurs? On cite aussi le cas de l'Inde et d'autres pays autrefois colonisés ou plusieurs langues cohabitent. Dans presque tous ces cas, il existe tout de même une langue dite de communication nationale dont l'importance augmente inévitablement avec la cohésion nationale. Quelquefois, il existe une langue qui sert à communiquer avec les étrangers, une autre qui est la langue nationale. Quoi qu'il en soit, dans un univers de communications incessantes, il est difficile de penser que la langue ne constitue pas un élément d'appartenance nationale.

Mais l'élément constitutif le plus important est probablement l'organisation politique. C'est là le nerf de la guerre, le moteur de l'affirmation nationale. Tout ce qui précède, vouloir-vivre collectif, territoire, culture, histoire, projet, homogénéité linguistique, appelle une organisation sociale pour prendre forme et une organisation politique pour se défendre et se conforter. Il est presque impensable qu'une nation existe telle que définie sans qu'elle se manifeste comme une *politie*. Cela est vrai plus que jamais à notre époque. Il n'est pas nécessaire que cette organisation politique prenne la forme d'un État. Mais il faut au moins un embryon de structure politique pour qu'une nation puisse continuer à s'identifier comme tel.

Cela est beaucoup moins vrai pour des formes traditionnelles d'identité nationale axées surtout sur la culture, comme on le verra plus loin. Mais là encore on relève une certaine dimension politique de la nation. Il arrive aussi dans ces cas qu'une organisation religieuse tienne lieu de structure politique.

Il a semblé à certains que la religion était un élément de cohésion nationale telle qu'on devait l'inclure dans une définition de la nation. Il est vrai qu'une pratique religieuse commune peut constituer un puissant facteur de cohésion. Il se trouve même des nations qui semblent ne devoir leur existence qu'à la religion comme, par exemple, le Pakistan. Mais, outre que ces cas sont de plus en plus rares, il faut noter qu'un processus de laïcisation des institutions a souvent accompagné une intensification de la conscience nationale.

D'autres ont voulu inclure une structure économique dans la définition de la nation. Il est certain que des nations ont souvent été formées en raison de conditions économiques particulières à un ensemble de personnes. Il est vrai aussi que des nations ont eu tendance à s'affirmer et à se protéger par des politiques propres. Cela s'est appelé mercantilisme à une certaine époque. Mais il existe trop d'exemples de nations différentes soumises à des conditions économiques semblables et de conditions économiques différentes à l'intérieur d'une même nation pour que l'économie puise être considérée comme un élément constitutif d'une nation.

La définition qui précède a l'avantage de ne pas supposer que les nations sont des données naturelles, des produits plus ou moins définitifs d'une longue évolution socio-biologique. Elle permet d'entériner le fait que les nations naissent, se développent et meurent. Il n'existe pas de déterminisme national. Il fut un jour où il n'y avait pas de nation française et rien ne nous dit qu'il y en aura toujours une. Les nations ont pu parfois se développer quasi spontanément. Le plus souvent elles sont le produit de volontés politiques. Très souvent, l'État ou le pouvoir politique a créé la nation et, dans ce même processus, il a pu contribuer à la lente dissolution d'autres nations.

En conséquence, cela ne mènerait pas très loin d'identifier la nation à la race comme on a voulu le faire en Allemagne, à une certaine époque. On ne parle plus aujourd'hui de race mais on parle volontiers d'ethnie. Ce mot est ambigu. Il peut sans doute être entendu hors de toute référence raciale mais il conserve une certaine connotation génétique dans le sens qu'on accorde généralement à «origine ethnique». Beaucoup d'auteurs ont traité récemment du renouveau «ethnique» et ont eu tendance à faire une équivalence entre «nation» et «groupe ethnique». Cela peut devenir une source de confusion, tout particulièrement dans le cas du Québec. Les Québécois francophones n'ont pas voulu, dans l'ensemble, s'affirmer comme ethnie. Ils ont refusé d'être considérés comme l'un des groupes ethniques qui composent la mosaïque canadienne. Ils ont par ailleurs accepté que des «groupes ethniques» fassent partie d'une nation québécoise.

Il faut donc tout de suite opérer une importance distinction entre groupe ethnique et nation, entre culture ethnique et culture globale. Il existe, par exemple, plusieurs groupes ethniques aux États-Unis mais une seule nation américaine, plusieurs cultures ethniques mais une grande culture qu'on identifie généralement comme la culture américaine. Un critère utile de distinction entre ces deux types d'appartenance serait le suivant. Il est possible de s'intégrer à une nation bien que cela constitue un lent processus et puisse prendre le temps d'une génération. Il est bien difficile, en revanche, de se joindre à un groupe ethnique. Par exemple, je puis devenir Américain mais je puis difficilement devenir membre d'un groupe ethnique aux États-Unis si cela ne m'est pas donné par la naissance. Il peut arriver qu'un groupe ethnique veuille s'ériger en nation. Le critère de sa réussite serait alors la possibilité de ce groupe d'intégrer d'autres ethnies.

Tout ce qui précède revient à dire que la nation est le produit de vouloirs beaucoup plus qu'une donnée sociale. La définition fournie plus haut se voulait donc en partie subjective («des personnes qui *acceptent* de vivre ensemble ...»), mais elle comporte aussi des éléments objectifs: territoire, culture, langue. Comme ces éléments font souvent l'objet de débat, comme il est à peu près impossible de fournir une définition qui s'applique à tous ces groupes reconnus comme des nations, certains auteurs, pour mieux souligner l'aspect subjectif, voire imaginaire, de la conscience nationale, se sont contentés de définitions comme celle-ci: «Est une nation toute société qui parvient à faire accepter aux autres qu'elle en est une». Ces définitions contribuent à souligner le caractère dynamique et fluide des nations qui reposent essentiellement sur des volontés exprimées de vivre ensemble. Mais il faut bien constater qu'on ne trouve jamais des personnes qui veulent vivre ensemble et qui n'ont pas déjà quelques affinités culturelles. La nation est donc un phénomène essentiellement subjectif mais qui repose aussi sur un certain nombre d'éléments objectifs.

Même si l'on accepte d'utiliser une définition comme celle qui précède, il faut bien avouer toutefois que la nation et le nationalisme qui la manifeste sont des phénomènes extrêmement divers. Voilà pourquoi il peut être utile d'envisager un certain nombre de modalités du nationalisme. Pour les fins de l'étude qui va suivre, j'en retiendrai quatre. Voici donc quatre modèles de nationalisme qui se veulent en même temps des tentatives d'explication du phénomène: les modèles moderne, traditionnel, étatiste et autonomiste.

Le nationalisme moderne

Le nationalisme que j'appelle ici «moderne» au sens de brisure avec l'ancien régime féodal, est celui qui est le plus souvent décrit par les auteurs qui traitent du nationalisme en général. À cause de cela et en raison de la place centrale qu'il occupe dans l'histoire politique de l'Occident, on pourrait l'appeler aussi «nationalisme classique».

On s'accorde en général pour faire remonter ce nationalisme à la Révolution française, bien que certains auteurs en voient déjà des manifestations dans la «révolution glorieuse» en Grande-Bretagne, au 17e siècle, qui proclame les pouvoirs du Parlement, la suprématie de la loi et les droits des citoyens. Le nationalisme de la Révolution française a servi de légitimation aux changements qui se produisaient à ce moment, à une profonde modification de la structure politique française.

De nouvelles couches sociales accédaient au pouvoir au nom de ce qu'on a appelé le Tiers-État et dans lequel on englobait tout ce qui n'était pas noblesse ou clergé mais qui exprimait essentiellement les intérêts de la bourgeoisie. «Le Tiers-État, c'est la nation», proclamait Sieyès. La bourgeoisie s'identifiait donc à la nation pour faire valoir ses intérêts: élargissement de l'aire économique à une grande France dont l'unité devait être soulignée, égalité de tous les citoyens devant la loi, ce qui signifiait surtout une plus grande liberté pour les bourgeois. Cette égalité entraînait avec elle une nouvelle solidarité. Désormais, tous les éléments de la population devaient se sentir concernés par toutes les décisions du gouvernement. «L'État, c'est nous». Ce n'est plus un roi qui s'affirme et se manifeste, c'est une nation. Le gouvernement est celui de la nation, les armées sont nationales. La nation se situe sur un territoire, elle est gouvernée par un seul État. Dans le même mouvement, on assiste à la laïcisation de la société française. On ne peut plus tolérer un pouvoir qui ne soit celui de la nation.

Ce type de nationalisme, essentiellement bourgeois, consiste donc à créer de nouvelles solidarités très fortes, qui s'appuient sur le principe de l'égalité de tous les citoyens et celui de leur identification aux affaires publiques. Il correspond à la brisure d'un ordre féodal dans lequel les allégeances allaient à la famille, aux seigneurs terriens, à la religion, à la région. Toutes ces allégeances sont remplacées par une seule qui se présente avec une séduisante simplicité. Ce nationalisme est la source d'un enthousiasme exceptionnel dans la population, d'une force de mobilisation qui a donné à la politique française et aux armées françaises une puissance toute nouvelle.

La Révolution française a été récupérée par Napoléon Ier et, avec elle, la ferveur nationaliste. Les conquêtes napoléoniennes sont impensables sans la présence d'un nationalisme populaire très fort en France. Napoléon lui-même n'était pas vraiment un nationaliste mais il a exploité la fierté nationale française et il a allumé des nationalismes partout en Europe.

Le modèle du nationalisme moderne de type français s'est appliqué en plusieurs pays d'Europe au 19e siècle et dans d'autres au 20e. L'abandon d'un ancien régime, la modernisation et la laïcisation se sont souvent opérés à l'aide d'une nouvelle conscience nationale populaire suscitée par des bourgeois qui avaient intérêt à se débarrasser des contraintes anciennes pour créer de nouvelles structures économiques. Ce nationalisme s'est appuyé sur les idées libérales des philosophes du 18ᵉ siècle et a donné lieu, le plus souvent, à la conquête de la souveraineté nationale sur les débris d'anciens empires multinationaux et d'organisations religieuses internationales.

Ce modèle peut tenir lieu d'explication à l'éclosion de plusieurs nationalismes, même en dehors de l'Europe, en Orient, puis en Afrique au moment de la décolonisation, en Amérique latine et au Canada. Partout où des anciens empires ont pu être contestés sous la forme d'aspirations nouvelles à la souveraineté politique au nom de la modernité, on a vu apparaître ce type de nationalisme.

Ce modèle pourra s'appliquer partiellement au nationalisme du Bas-Canada entre 1791 et 1838 et au nationalisme québécois de la Révolution tranquille.

Le nationalisme traditionnel

Le modèle traditionnel est l'antithèse du précédent. Il s'enracine historiquement dans la résistance de l'ancien régime aux idées de la Révolution française. Ces idées se sont propagées rapidement en Europe au cours du 19ᵉ siècle. Mais elles n'ont pas pénétré partout. Si, en certains endroits, les conquêtes napoléoniennes ont provoqué des nationalismes à la moderne, en beaucoup d'autres, elles ont éveillé une résistance nationale qui s'appuyait sur une tradition d'ancien régime. Là où les conditions n'étaient pas mûres pour la révolution, là où, entre autres choses, manquait une bourgeoisie dynamique, la réaction à l'impérialisme français prit une allure toute différente des mouvements politiques de libération nationale.

Cette «réaction» s'inspirait d'une fidélité à l'ancien régime mais elle ne reproduisait pas l'ancien régime tel qu'il avait existé au 18ᵉ siècle. On ne reproduit jamais le passé. Le nationalisme aurait été impensable dans les vieilles sociétés hétérogènes et gouvernées par des monarques. Il apparaissait tout à coup dans un nouvel effort pour légitimer la tradition (ce dont elle pouvait bien se passer auparavant). C'était là un type bien différent de nationalisme, beaucoup moins inspiré des idées de Jean-Jacques Rousseau que ne l'était celui de la Révolution. Il s'agit en fait d'un phénomène si différent que beaucoup d'études sur le nationalisme le passent sous silence. Un Québécois, qui cherche à rendre compte de la ferveur nationale ayant animé la société canadienne-française pendant plus d'un siècle, ne peut se permettre d'oublier ce type de nationalisme.

Il s'est manifesté non seulement en des endroits où il n'y avait pas de puissante bourgeoisie, mais aussi là où l'organisation politique ne coïncidait pas avec la nation, notamment en Allemagne.

Les milieux allemands où la conscience nationale s'est éveillée au début du 19e siècle sont encore à cette époque relativement imperméables aux revendications libertaires du siècle des lumières. On y relève peu d'intérêt pour les libertés individuelles et un niveau très faible de politisation. En revanche, chez des auteurs comme Herder, Schlegel et Fichte, la grandeur de la culture germanique fait l'objet d'une attention particulière, de même que l'originalité de la langue allemande. C'est de cette époque que datent les études les plus intéressantes, notamment celles de Herder, sur les langues comme véhicules de cultures et de systèmes de valeur.

La fierté allemande était éveillée mais encore bien peu dirigée vers des objectifs politiques. Il faudra attendre la fin du siècle pour que la nation allemande s'exprime dans un État qui la représente. Une des caractéristiques de ce nationalisme traditionnel, c'est donc que la nation précède l'État; par opposition à la France où c'est l'État qui a, pour une bonne part, créé la nation.

Une autre caractéristique, visible chez les adeptes de ce nationalisme, c'est une sorte de complexe d'infériorité qui peut être la conséquence (ou la raison d'être) d'un retrait par rapport à la politique. La culture peut être grande, la tradition très forte, le pouvoir est ailleurs. D'où un sentiment d'aliénation, du fait que d'autres ont décidé du destin de la nation. Mais, chose étrange, cette aliénation ne suscite pas une prise de conscience politique.

Au lieu de cela, ce nationalisme, très influencé par le courant romantique, se réfugie dans des aspirations spirituelles plutôt confuses. On parle de l'«âme nationale», de «mission», de grandes oeuvres à accomplir mais toujours en transcendant l'ordre politique. La citoyenneté inexistante est remplacée par le «Volk», la tradition populaire, la grande force historique qui tient lieu de solidarité. D'où l'importance du patrimoine et du folklore dans ce type de société[3].

Il faut noter que la nation traditionnelle dont il est question ici ne s'accorde pas très bien à prime abord avec la définition donnée plus haut. L'organisation politique y est absente, le territoire est plutôt dispersé et la solidarité semble être beaucoup plus ethnique que volontaire. Il est vrai que le nationalisme traditionnel se caractérise par son *apolitisme* mais il n'échappe pas à une organisation politique au moins embryonnaire, quand ce ne serait qu'au niveau religieux. C'est grâce à ces organisations, d'ailleurs, que ce nationalisme finit le plus souvent par se transformer et à déboucher sur l'action politique. Il est encore vrai que les territoires nationaux sont mal délimités mais ils existent tout de même. Il arrive qu'on réfère à la «terre ancestrale». Enfin, on ne peut nier que l'ethnie et la nation ont tendance à se confondre ici. Mais la définition donnée plus haut, si elle laissait la voie libre à une distinction pertinente et utile, ne préjugeait pas cependant des cas où cette distinction n'était plus possible.

On aura compris que ce modèle traditionnel pourra être appliqué au Canada français durant la longue période qui se situe approximativement entre 1840 et 1960.

---

3. Voir Hans Köhn, *The Idea of Nationalism*, New York, Macmillan, 1956, p. 4. Voir aussi id., *Nationalism: Its Meaning and History*, New York, Van Nostrad, 1965, pp. 29-37.

Le nationalisme étatiste

Le troisième type s'enracine aussi dans l'histoire. Il est une sorte d'excroissance du nationalisme «moderne». Il correspond à la croissance vertigineuse de l'organisation étatique à compter de la fin du 19e siècle et tout au long du 20e.

Le développement industriel et technologique provoque une expansion notable de la population urbaine dans la plupart des pays d'Occident. Cela favorise la croissance des organisations ouvrières et de la conscience ouvrière stimulée fortement par le mouvement socialiste. Les gouvernements se sont vus forcés de tenir compte des aspirations populaires pour échapper à la révolution. D'où l'extension des franchises électorales puis le suffrage universel. Bientôt, avec l'éducation obligatoire, on peut dire que les classes populaires ont vraiment accédé à la nation bien que leur influence sur le pouvoir demeure limitée.

De ce fait, le nationalisme ne peut plus demeurer confiné au seul ordre politique. Il devient social et économique. Peu à peu, l'État «laissez-faire» disparaît pour laisser la place à l'État-providence. Les gouvernements se doivent de livrer une marchandise aux masses pour les empêcher de se révolter. En ce faisant, ils utilisent grandement le nationalisme pour conserver l'allégeance des populations, pour les rendre le plus homogènes possible, ce qui facilite l'intervention gouvernementale.

Les États-nations en viennent à s'arroger à peu près toutes les fonctions qui, jusque-là, étaient dévolues aux familles, aux églises et autres organisations traditionnelles. Ce mouvement avait été amorcé par la Révolution française et le nationalisme bourgeois. Mais il n'avait pas atteint les masses avec l'efficacité qui sera celle de l'État-providence. L'État en vient à contrôler la vie des populations, de la naissance à la mort. Inévitablement, cela accentue l'importance des allégeances nationales. L'État s'appuie sur la nation, sur la conscience nationale pour se légitimer. La nation, à son tour, cherche à s'affirmer par le canal de l'institution étatique, l'instrument le plus puissant, les plus efficace qui soit pour les fins de l'émancipation nationale.

Le nationalisme devient donc proprement étatique, la nation se confond avec l'État ou encore elle tend à se donner un État pour s'affirmer. L'État-providence («Welfare State») pourra devenir le canal priviligié du nationalisme.

C'est ici qu'une théorie fondée sur les communications, comme celle de Karl Deutsch[4], peut s'avérer fort utile. Pour Deutsch, un *peuple* (ce qui correspond à peu près à ce que j'ai identifié plus haut comme nation) est essentiellement un réseau de communications, et le nationalisme est un état d'esprit qui accorde un statut préférentiel aux messages nationaux dans la communication. Le nationalisme apparaît particulièrement au moment où se produit la *mobilisatioin sociale*, c'est-à-dire le passage d'une économie de subsistance et d'un état d'isolement relatif aux communications intenses de type urbain: c'est-à-dire les mass-media, l'usage fréquent de la monnaie, le commerce, la participation politique. Plus un peuple dominé est mobilisé, plus il entrera en contact avec ceux qui contrôlent les communications, avec le peuple qui le domine, plus il se sentira aliéné de devoir communiquer dans une langue qui n'est pas la sienne. Et comme ce processus de *mobilisation sociale* se produit trop rapidement pour que l'assimilation soit la solution généralisée à cette situation intenable, c'est le nationalisme qui l'emporte, c'est-à-dire l'aspiration à créer un réseau de communication proprement national et à le contrôler.

Je reviendrai plus tard sur cette théorie, au moment de l'appliquer à la société québécoise. Qu'il suffise pour le moment de noter qu'elle s'inscrit très bien dans le cadre d'un nationalisme étatique puisque seul l'État complexe et puissant dit État-providence ou *État-bien-être* peut mettre sur pied et contrôler le réseau de communications souhaité. Quand sont disparues toutes les anciennes allégeances à la suite de la *mobilisation sociale*, seul l'État interventionniste peut devenir l'agent

---

4. Voir *Nationalism and Social Communication,* Cambridge, Mass., M.I.T. Press, 1966. Voir en particulier "Nation and World", in *Tides Among Nations,* New York, The Free Press, 1979, pp. 297-314.

du rassemblement national qui prend le dessus. L'État répond aux aspirations nationales et légitime ses interventions au nom de ces mêmes aspirations.

C'est là un modèle qui pourra guider l'analyse de la Révolution tranquille au Québec pendant les années soixante et soixante-dix.

Le modèle autonomiste

Mais, pour bien comprendre le nationalisme québécois, pour expliquer surtout l'échec référendaire, il faudra faire appel à un autre modèle qui, celui-là, se rattache à l'histoire contemporaine.

On a beaucoup parlé récemment du «nationalisme ethnique», de «renouveau ethnique» pour caractériser des manifestations comme celles qui se sont produites en Belgique (Flamands et Wallons), en Grande-Bretagne (Écossais et Gallois), en Espagne (Basques et Catalans), en France (Bretons, Occitans, Alsaciens, Corses) et en beaucoup d'autres pays. Naturellement, le Québec est ajouté à la liste.

Comme je l'ai mentionné plus haut, l'utilisation de l'adjectif «ethnique» ne me paraît pas ici très heureuse. Mais les analyses qu'on trouve de ce phénomène dans la littérature sont parfois fort intéressantes.

Retenons-en que ces types récents de nationalisme sont souvent associés à une réaction à l'endroit de l'État technocratique ou scientifique. Les groupes régionaux ou nationaux qu'on appelle «ethnies» font appel à de vieux sentiments de solidarité souvent endormis pour réagir à une profonde aliénation face à des États centralisateurs et qu'on considère comme «spoliateurs». Animés par une sorte de romantisme, les nouveaux leaders font appel à l'histoire, à de vieilles coutumes culturelles, parfois à des langues disparues pour s'ériger contre l'État tentaculaire et réclamer plus de pouvoir.

À l'occasion, ces mouvements s'incrivent dans le cadre de la redécouverte des *petites patries*, du «Small is beautiful».

Sans qu'on fasse intervenir directement Jean-Jacques Rousseau, il y a une espèce de saveur rousseauiste dans les revendications. Ces mouvements sont aussi souvent accompagnés par le courant écologiste, en opposition aux grandes manoeuvres industrialistes de l'État-nation. Ils se manifestent aussi souvent par la mode du patrimoine, le goût des choses anciennes qui font revivre de vieilles solidarités endormies.

Ces mouvements signifient encore une certaine aliénation économique. Mais il n'est pas sûr que cela soit leur marque distinctive puisqu'une nouvelle prospérité économique les stimule parfois, comme en Écosse, et qu'une crise contribue à les atténuer, comme au Québec dans les années quatre-vingt.

Ce type de nationalisme a conduit plusieurs de ses protagonistes et de ses adhérents à proposer la sécession d'avec l'État auquel appartient le peuple en question et la souveraineté politique pour ce peuple. Mais, le plus souvent, les populations n'ont pas voulu aller aussi loin et, dans plusieurs cas, les leaders eux-mêmes n'ont pas réclamé autant. En général, donc, ce nationalisme se caractérise par son autonomisme.

Il y a là une certaine logique. Anthony Smith a bien décrit le cycle bureaucratique, c'est-à-dire le processus de rejet d'une bureaucratie pour la remplacer par une autre[5]. Les nationalistes, aliénés par la lourdeur de la bureaucratie de l'État central distant, ont rêvé d'un État national plus petit contrôlé par des nationaux. Mais, peu à peu, dans les cas où ce rêve s'est réalisé, ils se sont retrouvés devant une autre bureaucratie presque aussi aliénante que la première. C'est là peut-être pourquoi, plus ou moins consciemment, les populations concernées n'ont pas envie d'aller jusqu'au bout du processus qui mène à la création d'un État-nation souverain.

Il y a sans doute d'autres raisons. L'une d'entre elles semble bien être la puissance du courant d'intégration mondiale. Il est vrai que le nationalisme autonomiste, comme les autres d'ailleurs, s'inscrit en faux contre ce courant jugé porteur d'une

---

5. Voir *Nationalism in the Twentieth Century, op. cit.*, pp. 166-183.

standardisation déshumanisante. Mais, en observant bien le comportement des populations concernées, on se rend compte que ce courant n'est pas vraiment rejeté dans tout ce qu'il représente. On peut même se demander si une telle chose est seulement possible. Au moment même où les nationalistes contemporains insistent sur leur spécificité nationale, sur leurs valeurs et leurs traditions et leurs droits de les préserver, ils acceptent de s'intégrer un peu plus chaque jour au reste du monde, c'est-à-dire que ces populations autonomistes, ces soit-disant «ethnies», ressemblent davantage aux autres et vivent davantage comme eux que cela était le cas il y a vingt ans. C'est probablement en raison même de cette intégration vécue et non récusée qu'ils cherchent à compenser par leur spécificité.

Si cela est vrai et si l'on y ajoute une sorte de phobie à l'endroit des institutions étatiques, on comprend mieux pourquoi les aspirations de ces populations s'orientent davantage vers de nouvelles formes de fédéralisme dans lesquelles une sorte de «home rule» ou d'autonomie leur serait conférée et leur donnerait un meilleur contrôle sur leurs propres institutions culturelles sinon sur leur destin comme peuple.

Voilà un modèle qui pourrait s'appliquer aux attitudes québécoises des dernières années.

Ces quatre modèles sont fondés sur l'analyse d'expériences historiques particulières. Mais ils sont présentés ici plutôt comme des cadres conceptuels devant guider l'interprétation du nationalisme au Québec à une époque ou à l'autre. Voilà pourquoi on pourra faire appel à plus d'un modèle pour rendre compte d'une période de l'histoire de la conscience nationale au Québec

Cette histoire, je la découpe en trois grandes catégories, trois types de nationalisme assez différents l'un de l'autre pour reposer sur le rejet de celui qui précède. C'est d'abord le nationalisme *canadien* qui correspond à la période de la province du Bas-Canada (1791-1838) et au mouvement patriote qui a dominé la vie politique québécoise ou bas-canadienne de cette époque. C'est ensuite le nationalisme *canadien-français* qui correspond à un repliement sur lui-même et sur ses traditions d'un

peuple devenu minoritaire. C'est enfin le nationalisme *québécois* qui se manifeste à compter de 1960 avec la Révolution
tranquille et une nouvelle tentative d'affirmation politique de
la nation.

Il ne me paraît pas possible de parler d'un même phénomène qui se poursuivrait au cours de ces trois périodes. Il y
a sans doute des éléments de continuité. Mais la «nation» elle-
même change de signification et de configuration d'une période
à l'autre. Il s'agit donc de trois nationalismes. Le tableau suivant illustre comment on essaiera d'utiliser les quatre modèles qui précèdent pour l'analyse de ces trois nationalismes.

Nationalisme

Moderne	Traditionnel	Étatiste	Autonomiste
Canadien Québécois	Canadien-français (Canadien)	Québécois	Québécois (Canadien) (Canadien-français)

CHAPITRE 2

Fondements et origines

Le nationalisme n'apparaît pas au Québec avant les premières années du 19e siècle. Il n'existe pas, dans la société canadienne du 18e siècle, de véritable mouvement organisé pour lutter en faveur de la reconnaissance d'une nation distincte. Il faut bien noter aussi qu'il n'y a pas d'institutions démocratiques avant 1791 et, en conséquence, aucun mécanisme de participation populaire aux affaires publiques. Or cette participation est un élément essentiel du nationalisme moderne. Quant au nationalisme traditionnel, il ne se comprend bien qu'en fonction du précédent.

Cela n'exclut pas que les contours de la nation aient été dessinés depuis longtemps. Car s'il est vrai que le nationalisme peut parfois créer des nations, consolider celles qui n'existaient qu'à l'état embryonnaire, on constate le plus souvent que le nationalisme s'appuie sur un sentiment d'appartenance fortement enraciné dans le passé. Il en est du nationalisme comme de la publicité. Il est souvent trompeur en ce sens qu'il exagère l'importance du produit dont il fait la promotion. Mais il est rare qu'il ne s'appuie pas sur un fondement réel. Les fondements d'une conscience nationale canadienne[1] remontent au 17e siècle.

L'ancien régime français

Très tôt dans l'histoire de la colonisation française au Canada, la petite société qui a été créée sous le nom de Nouvelle-France est apparue comme distincte et spécifique. Elle n'en est pas moins demeurée une société d'ancien régime.

Une société distincte, d'abord de la France dont elle était issue. On n'a pas de peine à concevoir toute la distance qui pouvait exister entre la vie d'une société relativement évoluée comme la France et celle des personnes qui avaient échoué sur les rives du Saint-Laurent dans des conditions misérables après un voyage quasi héroïque. Les premiers colons canadiens étaient à coup sûr des aventuriers. Comment pouvait-on autrement accepter l'entreprise colonisatrice dans un milieu aussi dur? Le paradoxe, c'est qu'on demandait à ces aventuriers de s'installer et d'organiser une société alors qu'ils étaient enclins tout naturellement à pousser l'aventure plus loin à l'intérieur des terres du Nouveau Monde. De là sont nées les deux grandes tendances qui se sont manifestées chez nos ancêtres, celle du voyageur ou du «coureur des bois», celle du sédentaire ou de l'«habitant».

C'est l'«habitant» qui a constitué l'élément de base de la nouvelle société. Même s'il devait être forcément plus sédentaire que le «coureur des bois», il s'est bientôt caractérisé par

---

1. J'emploie ici évidemment le mot «canadien» dans le sens qu'il a conservé jusqu'au milieu du 19e siècle, c'est-à-dire la désignation du groupe francophone concentré dans le territoire qui correspond en gros au Québec d'aujourd'hui. Je me refuse à employer les mots «québécois» et «canadien-français» pour désigner des populations qui n'utilisaient jamais ces termes. Le mot «québécois» n'a presque jamais désigné rien d'autre que les habitants de la ville de Québec avant le milieu du 20e siècle. Le mot «canadien-français» n'est apparu qu'au moment où les anglophones ont adopté de façon habituelle l'appellation «Canadian», c'est-à-dire dans la seconde moitié du 19e siècle.

une certaine indépendance, une réticence à vivre dans un encadrement aussi rigide que celui qui existait en France. C'est
ainsi que, dès le 17e siècle, l'organisation sociale qui prévalait dans la colonie, qu'on appelait plus souvent Canada que
Nouvelle-France, s'est démarquée profondément de celle d'une
province française. Déjà les Canadiens n'étaient plus des Français. Une notion nouvelle était née. Ces Canadiens exprimaient
d'ailleurs assez souvent leur malaise ou leur hostilité face aux
consignes venues de France et qui ne tenaient pas compte suffisamment de leur spécificité.

Société distincte de la France, le Canada l'était également
quant à ses voisins du Sud, les colons britanniques installés
en Nouvelle-Angleterre et le long de la côte Atlantique. Le
Jésuite F.-X. Charlevoix dans son *Histoire et Description de
la Nouvelle-France,* publiée en 1744, reproduit sans doute les
préjugés des Français de son époque en comparant les traits
des deux colonies, mais il exprimait aussi, en termes saisis-
sants, des caractéristiques encore présentes aujourd'hui à l'intérieur des deux sociétés:

On ne voit point au Canada de personnes riches, et
c'est bien dommage; car on y aime à se faire honneur de son bien, et personne presque ne s'amuse
à thésauriser. On fait bonne chère, si avec cela on
peut avoir de quoi se bien mettre; sinon on retranche sur la table pour être bien vêtu. Aussi faut-il
avouer que les ajustements vont bien à nos colons.
Tout est ici de belle taille, et l'on y voit le plus beau
sang du monde dans les deux sexes; l'esprit enjoué,
les manières douces et jolies sont communes à tous;
et la rusticité, soit dans le langage soit dans les
façons, n'est pas même connue dans les campagnes
les plus écartées. Il n'en est pas de même, dit-on,
des anglais nos voisins; et, qui ne connaîtrait que
les deux colonies que par la manière de vivre, d'agir
et de parler des colons, ne balancerait pas à juger
que la nôtre est la plus florissante. Il règne dans la

Nouvelle-Angleterre et dans les autres provinces du continent soumises à l'empire britannique, une opulence dont il semble qu'on ne sait point profiter; et dans la Nouvelle-France une pauvreté cachée par un air d'aisance qui ne paraît point étudié. Le commerce et la culture des plantations fortifient la première; l'industrie des habitants soutient la seconde, et le goût de la nation y répand un agrément infini. Le colon anglais amasse du bien et ne fait aucune dépense superflue; le Français jouit de ce qu'il a , et souvent fait parade de ce qu'il n'a point. Celui-là travaille pour ses héritiers; celui-ci laisse les siens dans la nécessité, où il s'est trouvé lui-même de se tirer d'affaire comme ils pourront.[2]

Voilà un contraste frappant entre une société d'ancien régime où l'accumulation de l'argent n'est valorisée qu'en fonction de dépenses somptuaires et une société libérale où apparaît déjà l'ethique protestante du capitalisme naissant: esprit d'entreprise, frugalité, souci d'économie. La société canadienne était imprégnée des valeurs du catholicisme le plus traditionnel. Les Protestants français avaient été exclus de la colonisation. L'éducation, en Nouvelle-France, était presque entièrement contrôlée par le clergé catholique. Il est arrivé sans doute aux Canadiens de se montrer rebelles par rapport à l'autorité cléricale mais jamais d'amorcer un mouvement de laïcisation. D'ailleurs, l'esprit des lumières, les idées des encyclopédistes français n'avaient que très peu pénétré dans cette société dépourvue d'imprimerie et des moyens de diffusion qui se manifestaient ailleurs. L'organisation sociale et politique demeure très hiérarchique: il n'existe aucune institution qu'on pourrait qualifier un tant soit peu de démocratique.

---

2. Cité par Fernand Ouellet, *Histoire économique et sociale du Québec, 1760-1850*, Montréal, Fides, 1966, p. 7.

Le régime seigneurial, selon lequel les terres sont concédées par la Couronne à des seigneurs chargés de veiller à la colonisation et auxquels sont redevables les colons dits censitaires qui cultivent une terre sans en être vraiment propriétaires, n'était pas la copie de l'ancien système féodal français. Les charges du censitaire étaient en général moins onéreuses et l'autorité du seigneur apparaissait plus bienveillante. Il semble bien que le parasitisme de la noblesse et du clergé était beaucoup plus rare au Canada qu'en Europe. Seigneurs et curés exerçaient jalousement leur autorité mais n'étaient pas perçus comme dominateurs, exploiteurs, spoliateurs. Dans ces conditions, il pouvait être possible, sans exclure des manifestations d'insubordination ici ou là, que la société canadienne soit traversée par une certaine solidarité coloniale, sinon nationale.

L'ancien régime français avait été pour ainsi dire filtré des éléments qui, en Europe, allaient produire la Révolution française. Dans la société canadienne du 18e siècle, on ne peut relever aucun courant d'importance qui annoncerait une remise en question des valeurs et des structures d'ancien régime.

Certains auteurs croient cependant constater dans cette société l'existence d'une bourgeoisie que la Conquête aurait par la suite éliminée. Si l'on signifie par là qu'il y avait en Nouvelle-France un certain nombre de commerçants dans l'entreprise des fourrures et dans quelques autres, l'affirmation est incontestable. Mais, si l'on veut prêter à cette bourgeoisie un rôle semblable à celle qui a contribué à provoquer la Révolution française ou à celle qui se manifestait dans les colonies britanniques, rien ne va plus. Il n'y a pas au Canada de bourgeoisie libérale au 18e siècle. Les entrepreneurs n'y investissent en général que dans une seule entreprise, le plus souvent les fourrures. D'après tous les observateurs, ils sont beaucoup plus portés aux dépenses somptuaires qu'au réinvestissement de leurs gains ou à la fructification de leurs avoirs (ce qui, d'ailleurs, n'aurait pas été facile au sein d'une société où l'Église condamnait l'usure). De plus, comment penser que puisse exister une véritable classe bourgeoise dans une société où ne sont sérieusement contestés ni le régime seigneurial, ni l'absolutisme royal, ni la tradition catholique?

Sans une telle classe sociale, on ne peut voir apparaître de nationalisme moderne. Pourtant, cette société était suffisamment bien implantée, les sentiments d'appartenance étaient assez développés chez les Canadiens, au point que la Conquête britannique n'arrivera pas à faire disparaître cette petite nation.

La Conquête et la Proclamation royale

En 1763, avec le traité de Paris, la Grande-Bretagne prenait officiellement possession du territoire de la Nouvelle-France et de la société canadienne. Une Proclamation royale allait lui servir de régime pendant plus de dix ans. Selon cette proclamation, le Canada devenait une province britannique, limitée à une territoire très restreint par rapport à l'ancien empire français, régie entièrement par les lois britanniques. La seule langue officiellement reconnue est la langue anglaise et la seule religion qui ait vraiment droit de cité est la religion anglicane. L'intention des conquérants était évidente: les Canadiens devaient être assimilés ou tout au moins s'adapter aux lois et valeurs de l'Empire britannique.

Heureusement pour eux, toutefois, les autorités de Londres firent preuve d'assez de réalisme pour se rendre compte bientôt que la Proclamation royale était inapplicable et pour reconnaître plus ou moins en pratique la spécificité de la société canadienne. Il n'en demeurait pas moins que les Canadiens se voyaient tout à fait coupés de leur source culturelle, la métropole française. Ils n'avaient plus d'évêques et Londres entendait régir l'organisation ecclésiastique. Ils se trouvaient exclus de toute participation au gouvernement, à moins de se prêter au serment du test et d'apostasier leur foi catholique. Faut-il voir dans ces événements, à la suite de plusieurs historiens, la source du nationalisme au Québec? La Conquête n'a-t-elle pas donné lieu à un choc suffisamment traumatisant pour engendrer une prise de conscience d'une aliénation et un mouvement nationaliste?

À cette question, il faut répondre oui et non. Oui, à n'en point douter, si on analyse l'événement en lui-même, surtout avec nos yeux d'observateurs du 20e siècle. Non, si l'on s'en remet à la chronique de la période qui a suivi la Conquête.

Force est d'admettre que le changement de régime n'a provoqué, dans la société canadienne, aucun mouvement de quelque ampleur qui aurait correspondu à une volonté profonde de résister à l'envahisseur. Les Canadiens, bien sûr, n'ont pas manifesté d'enthousiasme, ils ont même manifesté certaine humeur ici ou là. Mais il semble bien que cette population, habituée à obéir, se soit résignée sans trop de remous à sa nouvelle situation. Dès l'occupation, les autorités religieuses, dont au premier chef le vicaire général de Québec, Olivier Briand, qui allait devenir le premier évêque sous le nouveau régime, ont recommandé à leurs fidèles la soumission aux nouveaux maîtres. Les Canadiens ont pu maugréer mais ils ne se sont pas rebellés.

Il faut dire aussi que les premiers gouverneurs, des aristocrates britanniques, hommes d'ancien régime, ont manifesté une attitude plutôt sympathique et bienveillante en même temps que fort paternaliste envers la population canadienne. Il semble qu'ils aient été plutôt ravis de trouver une population régie par des normes traditionnelles et peu portée aux revendications dans une Amérique qui devenait de plus en plus tumultueuse et rebelle. James Murray notamment, le premier gouverneur, fit assez bon ménage avec les Canadiens, en particulier avec les plus hautes couches de la société, seigneurs et clercs.

S'il est difficile de retrouver des traces de nationalisme dans l'histoire du Canada après la Conquête, il faut par contre reconnaître l'importance énorme qui a été attribuée par la suite à cet événement dans la conscience des nationalistes durant les siècles suivants. Dès le début du 19e siècle, l'événement est analysé par les élites nationalistes. Il est déjà considéré comme une sorte de traumatisme mais ce n'est pas vraiment l'autorité britannique qui est remise en question. Ce sont surtout les représentants de la Couronne au Canada et les groupes de pression anglophones. Il faudra le rapport Durham qui s'emploie à souligner que les Canadiens sont un peuple conquis, pour donner lieu à une historiographie de la Conquête et placer l'événement au coeur du nationalisme des Canadiens français. Plus tard, au 20e siècle, dans la coulée d'un nationalisme plus incisif chez les historiens, la Conquête deviendra une sorte de péché originel, le traumatisme par excellence. Encore aujourd'hui, on peut dire que les Québécois sont toujours conscients d'être un peuple conquis. La blessure n'est pas guérie.

On pourra dire tout ce qu'on voudra sur cette perception, comme, par exemple, ce qui est courant chez les anglophones canadiens, que cet événement n'a plus rien à voir avec le Canada contemporain. On pourra souligner le caractère imaginaire du traumatisme évoqué et souhaiter que ce spectre soit conjuré. Il ne sera pas facile de faire disparaître ce «souvenir» de la conscience des Québécois.

Retournons dans l'histoire. Il est un autre événement qui a influé profondément sur l'évolution du peuple canadien et qui a contribué indirectement à consolider son identité. C'est la Révolution américaine. La rébellion des colons britanniques contre leur Roi et leur déclaration d'indépendance ont donné lieu à deux faits importants dans la vie des Canadiens, l'Acte de Québec et l'arrivée des Loyalistes au Canada.

L'Acte de Québec

Le gouvernement britannique en était venu à reconnaître l'évidence: on était en présence d'un peuple distinct au Canada et l'immigration britannique était beaucoup trop faible pour modifier cette situation. Il fallait aussi s'assurer que la vague révolutionnaire qui emportait les colons du Sud ne déferle pas sur le Canada. Quoi de mieux pour obtenir ce résultat que d'officialiser la spécificité canadienne et, partant, d'accentuer son conservatisme?

La caractéristique la plus importante de cette population, c'était sa religion. C'était là ce qui la rendait la plus ingouvernable selon les lois anglaises. C'était là aussi ce qui allait constituer une sorte de rempart contre la Révolution des colonies du Sud. Ironie de l'histoire! C'est l'ancienne Nouvelle-France catholique qui allait permettre à l'Empire britannique de se maintenir en Amérique du Nord!

Le prix à payer pour Londres, c'était la reconnaissance officielle de la religion catholique dans l'Empire britannique et, en même temps, la sanction de l'existence d'un peuple francophone distinct au Canada. Voilà le fondement de l'identité canadienne en régime anglais d'une éventuelle prise de conscience nationale et du nationalisme qui se manifestera plus tard.

L'Acte de Québec est considéré par plusieurs historiens comme la législation la plus positive jamais venue du gouvernement anglais concernant les Canadiens français. Il dispense les catholiques canadiens du serment du test et leur permet ainsi de participer au gouvernement de la colonie. Il impose le droit criminel britannique au Canada mais il reconnaît officiellement les lois civiles françaises, les institutions canadiennes, le régime seigneurial. La langue française demeurera langue d'usage.

Tout naturellement, pareille législation n'a pas eu l'heur de plaire à la petite minorité de bourgeois britanniques installés au Canada depuis la Conquête. Ils étaient irrités de ce que la nouvelle constitution n'introduisait aucune institution démocratique, comme une assemblée élue, maintenait des pratiques féodales, consacrait le pouvoir du clergé catholique et invitait des seigneurs et des nobles à faire partie du Conseil chargé de légiférer sous la tutelle du gouverneur. Étant donné l'atmosphère de crise que faisait régner sur la colonie la rébellion au Sud, cette minorité dut attendre une dizaine d'années pour faire valoir ses griefs de façon efficace.

Les Canadiens sont donc relativement bien installés dans le nouveau régime. Ils sont gouvernés par des Anglais mais sont demeurés eux-mêmes. Les autorités cléricales sont ravies et vouent déjà une grande fidélité au gouvernement de la colonie. C'est le début d'une alliance entre l'évêque de Québec et le gouverneur britannique: ce dernier reconnaîtra de plus en plus la hiérarchie catholique; l'évêque, en retour, veillera à assurer la soumission du peuple à l'autorité coloniale.

Cette nouvelle situation n'offre guère de possibilité à l'éclosion d'un mouvement nationaliste. Par contre, l'autre conséquence de la Révolution américaine, l'arrivée en masse des Loyalistes, va contribuer à mettre en place le cadre dans lequel se développera plus tard le nationalisme.

L'arrivée des Loyalistes

Qui étaient les Loyalistes? Des colons britanniques qui, pour des raisons relatives à leurs intérêts économiques, à leur situation en regard du gouvernement britannique, à des liens de parenté, avaient refusé de se joindre à la Révolution américaine. Il semble bien que ces personnes n'étaient ni plus conservatrices ni même plus explicitement loyalistes envers la Couronne que les autres colons avant l'agitation[3]. L'épithète de «loyaliste» ne leur fut accolé qu'après la Déclaration d'indépendance et surtout au moment de leur migration vers les colonies du nord. D'ailleurs il faut bien noter que la Révolution américaine n'était pas vraiment un mouvement idéologique qui aurait opposé des libéraux contre des conservateurs. L'idéologie libérale était tout aussi présente dans les colonies britanniques avant la Révolution qu'elle le fut par la suite. Le texte de Charlevoix cité plus haut en fait foi. Il s'est trouvé en outre plusieurs personnes qui ont participé à la Révolution, surtout dans les États du sud, et qui étaient animées par des idées beaucoup plus conservatrices que celles des Loyalistes.

Les Loyalistes étaient donc des gens qui avaient participé de tout coeur à ce qu'on peut appeler déjà «l'expérience américaine», une aventure de colonisation de type bourgeois, beaucoup plus libre, beaucoup plus purement «libérale» que ce qui pouvait exister en Grande-Bretagne. Ces gens ont cru que cette

---

3. Voir David Bell et Lorne Tepperman, *The Roots of Disunity*, Toronto, McClelland and Stewart, 1979, pp. 45 ss.

aventure libérale devait se poursuivre dans le cadre de l'Empire britannique. Ils ont perdu leur pari. Les gagnants le leur ont bientôt fait sentir, comme cela se produit après toutes les révolutions. Ils ont été souvent identifiés comme des traîtres, parfois persécutés, parfois chassés de leurs terres. Pour un bon nombre, il n'était plus possible de demeurer sur ce territoire qu'ils considéraient comme leur seule patrie.

Retourner en Grande-Bretagne était exclu pour la majorité d'entre eux. D'abord, un très grand nombre n'était même pas né dans la métropole. Il ne s'agissait donc pas d'un «retour» dans un pays qui n'était pas le leur. Ils étaient devenus assez profondément *américains* pour ne pas envisager de quitter l'Amérique du Nord. C'est donc tout naturellement vers ce qui restait de colonies britanniques qu'ils se sont dirigés: la Nouvelle-Écosse et le Canada. En Nouvelle-Écosse, on a découpé un territoire particulier pour les recevoir, le Nouveau-Brunswick. Au Canada, ce ne fut pas aussi simple.

Leur expérience avait été traumatisante, peut-être autant sinon davantage que celle des Canadiens, il faut le noter. Quelle ne fut pas leur déconfiture quand, réfugiés en territoire britannique, dans un endroit où ils pouvaient enfin se sentir chez eux, ils se sont trouvés en présence d'une population dont les valeurs et la culture leur étaient tout à fait étrangères! Quelle anomalie et quelle source de scandale pour eux de se trouver dans un territoire britannique régi par une constitution comme l'Acte de Québec!

Ils s'étaient habitués, sans être révolutionnaires pour autant, à participer à des assemblées populaires, à fonctionner dans un système de «tenure libre», c'est-à-dire un système de véritable propriété privée, dans le cadre du droit civil britannique. Les voici en présence d'un régime autocratique, de l'antique «Coutume de Paris», d'une religion catholique officiellement reconnue et d'un régime seigneurial qui «gelait» pour ainsi dire toutes les terres sises le long du fleuve Saint-Laurent.

On peut comprendre, dans ces circonstances, que ces Loyalistes aient contribué à accroître considérablement le mouvement d'insatisfaction déjà amorcé par la minorité britannique.

Leur arrivée en masse entre 1778 et 1784 a fait passer la proportion de la population anglophone au Canada de 4 à 9 pour
cent[4].

Il ne semble pas que les Canadiens, pour leur part, aient
d'abord réagi négativement à cet envahissement. Loin de se
sentir menacés, plusieurs d'entre eux, surtout des membres
d'une classe moyenne grandissante, se sont joints aux anglophones pour réclamer la création d'une assemblée élue, selon
la tradition parlementaire britannique. Par contre, les membres
de l'ancienne noblesse, une classe en voie de disparition mais
encore assez puissante à l'époque, se sont opposés vigoureu-
sement à une telle constitution au nom des traditions canadiennes. Le clergé, pour sa part, adoptait une position ambiguë,
étant opposé, selon sa doctrine, aux progrès de la démocratie
mais voyant aussi dans une Chambre élue un instrument pour
ses revendications.

Avec l'arrivée des Loyalistes, tout est en place pour un
affrontement entre deux cultures, deux idéologies, deux systèmes d'intérêts. Mais cet affrontement ne se produira que plus
tard, quand on lui aura fourni un cadre institutionnel et surtout quand cette institution, soi-disant démocratique, aura développé chez les Canadiens une nouvelle volonté d'autonomie fondée sur leur conscience nationale.

L'Acte constitutionnel de 1791

Le gouvernement britannique se devait de réagir à la nouvelle situation et de répondre aux doléances de la population.
Il fallait une nouvelle constitution. Elle fut fournie par l'Acte
constitutionnel de 1791.

Pour ne pas provoquer de front la population de la colonie toujours majoritairement canadienne, c'est-à-dire francophone,

---

4. Fernand Ouellet, *Le Bas-Canada, 1791-1840*, Ottawa, Les Éditions de l'Université d'Ottawa, 1980, p. 25.

Londres maintient la reconnaissance de l'ancien régime social. On abandonne aux Canadiens le soin de disposer de leur régime seigneurial, de la «Coutume de Paris», des dîmes et autres privilèges de l'Église.

Pour pallier, en revanche, l'inconfort des Loyalistes dans ce système d'ancien régime, on ouvre de nouveaux territoires spécifiquement pour eux et on reconnaît ces territoires comme une province distincte. Le Saint-Laurent, qui est l'unité économique par excellence, la grande voie commerciale, se voit ainsi coupé en deux contre toute logique économique. C'est «le triomphe du culturel sur l'économique»[5], c'est l'établissement d'une dualité canadienne, la reconnaissance que francophones et anglophones ne peuvent être tout à fait régis par les mêmes institutions politiques. Le Haut-Canada sera britannique, le Bas-Canada sera français.

Pas tout à fait, cependant. Pour le gouvernement britannique, la dualité ne sera jamais établie aussi clairement et simplement. Le Bas-Canada ne sera jamais entièrement français. Québec demeurera le lieu de résidence du gouverneur britannique et de sa suite. Des marchands anglophones continueront d'habiter Québec et surtout Montréal, qui deviendra bientôt le centre commercial de la colonie. De plus, des territoires du Bas-Canada seront concédés aux Loyalistes, dans les Cantons de l'Est et en Gaspésie. De cette façon, les Canadiens seront bien encadrés même s'ils constituent la grande majorité de leur province.

En plus d'un Conseil exécutif, deux Chambres sont créées en vue de produire la législation de la province. Une Chambre haute, non élective, le Conseil législatif où le gouverneur placera des personnes qui lui sont fidèles; une Chambre basse, élue par la population, qu'on appellera «Chambre d'assemblée». C'est à l'intérieur de cette assemblée qu'on assistera bientôt aux affrontements entre anglophones et francophones. Les pouvoirs de cette Chambre demeurent limités, ce qui ne pourra

5. Fernand Ouellet, *op. cit.*, p. 36.

que contribuer à attiser le nationalisme des représentants canadiens. Le gouverneur se réserve des sources de financement qui échappent à la Chambre et le Conseil législatif pourra toujours bloquer les législations de l'assemblée. De plus, le gouvernement n'est pas responsable devant les Chambres.

Notons bien toutefois que la Constitution de 1791 n'est pas elle-même la cause du nationalisme canadien. Elle en est le cadre et l'occasion. La cause du nationalisme tient plutôt aux divergences profondes entre les visées de la minorité anglophone qui cherche appui chez le gouverneur et celles de la majorité francophone telle que représentée par ses élites.

D'ailleurs il faut attendre une bonne dizaine d'années avant que le nationalisme ne se manifeste. Mis à part quelques débats sur la langue, les débuts du parlementarisme bas-canadien ne sont pas marqués d'affrontements entre anglophones et francophones. Il semble que ces derniers n'aient pas suffisamment pris conscience de la situation et des instruments qui s'offraient à eux. Ils ne sont d'ailleurs pas présents à l'Assemblée comme leur majorité le leur permettrait. Cela est peut-être dû à l'absence d'indemnités parlementaires qui impose certains sacrifices à ceux qui ne sont pas riches. Peu de Canadiens semblent enclins, dans les premières années, à faire carrière en politique. Peut-être aussi les vrais problèmes, ceux qui seront à l'origine des affrontements, ne sont-ils pas posés au cours de ces premières années. Mais les idéologies qui animent les deux populations sont à ce point antagonistes et irréductibles que tôt ou tard elles s'opposeront brutalement. C'est d'abord dans la défense de leurs idéologies sociales et nationales que les Canadiens feront preuve de nationalisme.

Les premiers chocs auront lieu dans les premières années du 19e siècle.

CHAPITRE 3

Le nationalisme canadien

Ce sont d'abord des intérêts, reliés à des idéologies, qui vont s'opposer dans le cadre de la Chambre d'asemblée du Bas-Canada et de là dans l'ensemble de la société. Les intérêts des marchands dits «bretons», c'est-à-dire anglophones d'origine britannique ou américaine, orientés vers le commerce et animés par une idéologie capitaliste et libérale, sont contraires à ceux de l'élite canadienne qui, pour des raisons relatives à ses traditions autant qu'à la Conquête, défendra une société stable et la fidélité aux anciennes institutions. Deux types d'intérêts, deux idéologies, qui seront bientôt masqués par des appartenances culturelles et, dans le cas des Canadiens, par l'appartenance à une nation. Est-ce à dire que le nationalisme canadien est une imposture? Pas tout à fait. Il est bien vrai que les élites canadiennes auront abondamment recours au nationalisme pour satisfaire leurs intérêts propres, leur ambition d'exercer le pouvoir et de contrôler les destinées de la société canadienne. Mais il serait difficile de démontrer que ces personnes ne croyaient pas du tout au nationalisme et que n'existait pas, dans les faits, une solidarité populaire appelée à se défendre contre ceux qui battaient en brèche les institutions nationales. Autrement dit, le fait qu'un nationalisme soit utilisé comme un instrument pour des fins autres que nationales ne prouve pas qu'il soit sans fondement. On pourrait dire au contraire que cet instrument est jugé efficace précisément parce qu'il correspond à des aspirations réelles et profondes.

Pour mieux comprendre la nature de ce nationalisme canadien, il faudra voir qui sont les leaders du mouvement, de quelles idéologies ils s'inspirent, leur libéralisme et leur conservatisme et les facteurs qui les ont conduits à l'échec.

La bourgeoisie du Parti canadien-patriote

En raison de la Conquête et des changements sociaux qui ont suivi, la noblesse canadienne a perdu beaucoup de son prestige et de son importance. Cette classe sociale n'avait plus guère de signification au tournant du siècle. Une autre classe allait se former et constituer la nouvelle élite laïque du Bas-Canada. Issus de milieux populaires mais ayant reçu souvent une éducation classique dans les séminaires, un certain nombre d'avocats, notaires, arpenteurs, médecins, petits marchands, journalistes vont se manifester de plus en plus dans la société canadienne. Grâce à leurs origines et au fait qu'ils exercent leur profession auprès des populations rurales ou urbaines, ils n'auront pas de difficulté à se faire élire à l'Assemblée. Leur instruction, dans une société très peu instruite, leur conférera un grand prestige et les amènera aussi à s'intéresser à la carrière parlementaire et à y réussir. En effet, s'ils avaient été mal préparés à comprendre les problèmes de l'industrie et du grand commerce, ils étaient en revanche bien équipés pour concevoir et rédiger des projets de loi, comprendre les subtilités du système parlementaire et prononcer des discours. Ces professionnels deviendront de plus en plus nombreux à la Chambre. Ils formeront un parti qui s'appellera «canadien» puis, à compter de 1826, «patriote».

Leur ambition est d'assumer le leadership de la nation canadienne, de remplacer éventuellement le gouvernement colonial et surtout ceux qui exercent un certain pouvoir (en majorité des anglophones), par la faveur du gouvernement, au Conseil exécutif et au Conseil législatif. Leurs premiers ennemis, ce sont les marchands britanniques qui veulent changer les structures de la société canadienne pour la rendre plus propice à leurs entreprises commerciales. Ils s'opposent aussi à l'occasion au pouvoir clérical. Non pas tout à fait car ils ne proposent pas la laïcisation complète de la société. La plupart d'entre eux sont des croyants. Ils s'opposent au clergé et à la hiérarchie dans la mesure où ces derniers font entrave aux ambitions des chefs laïques.

Le plus illustre représentant de cette classe moyenne fut Louis-Joseph Papineau. Élu député dès 1809, il siège à la Chambre sans interruption jusqu'à 1837. En 1815, il devient «orateur» de la Chambre et leader du Parti canadien. À partir de 1822, époque où il s'est particulièrement illustré par son opposition au projet britannique d'union des deux Canadas, il devient le chef incontesté de son parti.

Papineau était très bien préparé pour jouer son rôle. Son père était un notaire qui, semble-t-il, possédait une bibliothèque assez riche et qui fut lui-même député à compter de 1792. Le jeune Papineau reçut une bonne éducation classique au Petit Séminaire de Québec et une formation d'avocat. Il acheta la seigneurie de son père dans l'Outaouais, ce qui, avec ses allocations d'orateur, le rendit indépendant de fortune. Il était ardent, sentimental, brillant mais aussi très fier, autoritaire et méfiant. Une personnalité assez typique du leader charismatique.

Les membres du parti des marchands ou «parti breton» s'étaient donné un journal en 1804 pour exprimer leurs points de vue, leurs idées, leurs projets politiques, le *Quebec Mercury*. En 1806, fut fondé *Le Canadien*, journal publié à Québec et voué à la défense des politiques du Parti canadien. Cette publication transmettra à ses lecteurs un écho des débats de la Chambre avec un parti pris avoué pour la position nationaliste. Plus tard, quand le Parti canadien deviendra plus radical et que *Le Canadien* se fera plus modéré, un autre journal, *La Minerve* de Montréal, deviendra l'organe du Parti patriote. Cela correspond assez bien à un déplacement du nationalisme, de Québec à Montréal.

C'est donc à la faveur de la montée d'une nouvelle classe sociale et dans une atmosphère de participation populaire à la chose politique que se développe, au Bas-Canada comme ailleurs dans le monde, le nationalisme. La nouvelle classe sociale a besoin de faire appel à la nation pour s'affirmer et elle peut le faire par le biais des élections, de l'institution parlementaire et de la presse.

Libéralisme politique

Que cette classe sociale soit nouvelle et, dans une certaine mesure, moderne, cela apparaît clairement si on considère qu'elle défend des idées qui étaient à peu près absentes dans la société canadienne, une génération plus tôt. Dans un milieu que le clergé n'arrivait pas encore à contrôler intellectuellement aussi bien qu'il le fera plus tard, l'instruction avait permis à l'élite d'être exposée à l'influence de penseurs progressistes européens. Un certain nombre de ces professionnels avaient lu les encyclopédies du 18e siècle et surtout, en fonction de leurs nouvelles responsabilités parlementaires, les constitutionnalistes britanniques. Ils en vinrent à afficher un certain libéralisme politique et à l'associer à leur nationalisme.

De quoi était fait ce libéralisme? De quelques principes dont l'application, il faut bien le dire, servait à merveille les intérêts de la classe moyenne. Retenons entre autres trois idées centrales abondamment développées et défendues par les membres du Parti canadien: l'égalité, la souveraineté populaire et le laïcisme.

Le principe de l'égalité de tous les citoyens devant la loi entraîne avec lui l'abolition des privilèges sociaux. Les nationalistes canadiens ont sans cesse proclamé ce principe pour s'ériger contre les privilèges indus accordés par le gouverneur à certaines personnes, les juges, les membres du Conseil exécutif et ceux du Conseil législatif, la Chambre non élue. Ces personnes étaient en grande majorité des membres du «parti breton» appelé aussi «parti bureaucrate», des anglophones et quelques francophones considérés comme des «vendus» par les nationalistes. On reprochait au gouvernement britannique d'avoir permis l'existence d'une «aristocratie coloniale» qui ne devait plus avoir sa place en terre d'Amérique. «On ne devrait pas imposer, disait l'une des fameuses quatre-vingt-douze résolutions de 1834 (qui reprenaient et radicalisaient toutes les revendications du Parti patriote), sous la forme de Conseil législatif, une aristocratie à un pays où il n'y a pas de matériaux naturels à son existence».

Ce Conseil législatif avait été créé pour pallier l'hostilité des Canadiens à l'égard de la classe minoritaire des marchands britanniques et donner à ces derniers l'occasion de mettre en oeuvre des politiques plus favorables aux entreprises commerciales. Au fond, le principe aristocratique était une sorte de subterfuge pour permettre à des capitalistes en minorité de modifier les anciennes structures françaises. Les marchands étaient donc des libéraux réfugiés derrière une autorité qu'ils jugeaient plus «éclairée» que la «majorité ignorante» des Canadiens. Leur «libéralisme» ne s'appliquait plus au processus politique.

Les membres du Parti canadien, par contre, insistaient sur un second principe qui découle de celui d'égalité: la souveraineté du peuple. Le peuple canadien les avait mandatés. Ils parlaient donc au nom du peuple en revendiquant le droit de contrôler le gouvernement de la colonie, surtout le droit de contrôler les dépenses publiques. C'est sur la question des subsides accordés au gouverneur et à la bureaucratie gouvernementale que le Parti canadien-patriote livrera ses combats les plus ardents. Le gouverneur insistait pour faire voter en bloc, «pour la vie du roi», ce qu'on appelait la «liste civile». Papineau et les siens voulaient au contraire approuver ces dépenses, article par article et pour une seule année, en vertu de la règle démocratique.

Le Parti patriote, fort de ses victoires et d'une certaine influence auprès de parlementaires britanniques, en vint à demander une démocratie totale, c'est-à-dire la responsabilité du gouvernement devant la Chambre. Enfin, c'est à l'indépendance quasi entière du Bas-Canada qu'on aspirait au moment où éclata la rébellion. Notons toutefois qu'on se satisfaisait volontiers d'une sorte de «home rule» dans le cadre de l'Empire britannique avec lequel on aurait maintenu des liens assez étroits quant au commerce extérieur, à la défense et à la politique extérieure : une sorte de «souveraineté-association» ou, si l'on veut, un statut qui allait être celui du Canada de 1867.

Cette prise de contrôle de la colonie, dont rêvaient les classes moyennes canadiennes en leur qualité de représentantes du peuple, ne devait laisser qu'un rôle subordonné à la hiérarchie catholique et au clergé. Les évêques avaient accepté ce rôle subordonné auprès des autorités coloniales dans la mesure où cela leur permettait de mieux asseoir leur autorité à eux sur le peuple canadien. Mais ils ne voulaient pas se voir confinés à un rôle strictement spirituel par la classe politique canadienne. Ces résistances du clergé, en même temps que le souci des évêques de conserver la bonne grâce des gouverneurs, ont amené les Patriotes à prendre souvent des positions anticléricales.

Un affrontement majeur eut lieu en 1832 à propos d'un projet de loi («le bill des Fabriques») qui aurait soumis les conseillers de paroisse ou marguilliers à l'élection populaire, c'est-à-dire au contrôle du seul parti organisé en milieu populaire, le Parti patriote. C'est le Conseil législatif, alter ego du gouverneur, qui bloquait le projet et conservait aux curés leur pouvoir local.

S'ils prônaient la séparation de l'Église et de l'État, les Patriotes n'en demeuraient pas moins d'ardents défenseurs de la structure religieuse de la société canadienne. Papineau, tout libre-penseur qu'il fût, s'est souvent porté à la défense des droits des clercs, de l'éducation catholique et même de la pratique religieuse. Voilà qui amène à nuancer le laïcisme prôné par le Parti patriote. En fait la religion était, pour les nationalistes canadiens, une composante essentielle d'une idéologie d'ancien régime qu'il fallait conserver. Le nationalisme canadien est donc demeuré, en dépit de ses traits libéraux, profondément attaché à une tradition.

Conservatisme social et économique

Cette tradition à préserver, elle est souvent exprimée par les orateurs canadiens au moyen d'une trilogie: «nos lois, notre langue, notre religion», trois éléments présentés comme indissociables.

Les lois, ce sont les vieilles lois françaises, la «Coutume de Paris», dont Papineau vante «la beauté, la sagesse et la majestueuse simplicité» mais qui sont, aux yeux des marchands britanniques, des vestiges d'un autre âge, de la «grande noirceur». Les classes moyennes, professionnels et petits marchands, pas plus que les «habitants» cultivateurs qui leur font confiance, n'ont pas d'intérêt aux grandes entreprises commerciales qui sont celles des classes marchandes anglaises. Ils résistent donc, au nom de la préservation d'un héritage national, à tous les changements proposés par les entrepreneurs anglophones: abolition du régime seigneurial et institution d'un régime moderne de propriété privée, établissement de bureaux d'enregistrement des achats et ventes, création de banques, construction de routes et de canaux pour faciliter le transport commercial.

Les classes moyennes du Bas-Canada, en dépit du libéralisme qu'elles professent sur le plan politique, demeurent donc tout à fait fermées quant aux perspectives de progrès et de libéralisme en matières sociale et économique. Tout se passe comme si la société canadienne allait perdre son identité s'il lui fallait renoncer à ses traits d'ancien régime, à sa structure hiérarchique et à ses traditions catholiques. Parce que les changements étaient proposés par des anglophones et conformes à leurs intérêts, on croyait que ces changements entraîneraient presque automatiquement l'assimilation culturelle.

La conclusion est loin d'être évidente en soi. Il est difficile d'accepter qu'une nation soit condamnée à refuser le progrès pour demeurer fidèle à elle-même. En pratique, toutefois, peut-être les élites canadiennes n'avaient-elles pas tort. Chose certaine, elles n'étaient pas préparées à assumer ces changements tout en exerçant leur leadership auprès de leurs compatriotes.

Ces derniers, de leur côté, ne pouvaient accorder leur confiance à d'autres qu'aux Patriotes, si ce n'est aux membres du clergé dont l'idéologie était encore plus conservatrice.

Il y a donc une sorte d'identification entre le nationalisme canadien et une tradition d'ancien régime. Cela est bien visible dans la personne de Papineau lui-même, leader du mouvement patriote. Papineau était un seigneur et un seigneur passablement autoritaire. De plus, il n'admettait pas la moindre contestation de son autorité. Libre-penseur lui-même, il prônait la pratique de la religion pour la majorité. Il s'est fait l'ardent défenseur du régime seigneurial et des structures religieuses du Bas-Canada.

Un certain nombre de Patriotes ont voulu toutefois pousser la logique libérale jusqu'au bout: ils ont prôné l'abolition du régime seigneurial, la laïcisation complète de la société et une certaine ouverture au commerce. Cela les a amenés à se dissocier de Papineau et à former leurs propres associations. Mais ils n'ont pas exercé une très grande influence sur le nationalisme canadien.

L'échec du mouvement

Ces tensions à l'intérieur du Parti patriote et surtout les contradictions entre le libéralisme politique et le conservatisme social sont au nombre des raisons qui peuvent expliquer l'échec de ce mouvement.

Le mouvement s'était durci et radicalisé à compter de 1828, dans le sillage qu'il avait lui-même creusé. Les institutions politiques fonctionnaient de mal en pis au point d'en être presque paralysées, l'Assemblée et le Conseil étant opposés l'un à l'autre sur presque tous les sujets. La population réagissait fortement au discours nationaliste de ses dirigeants au point de déborder ces derniers. L'immigration britannique était considérée comme la cause de tous les malheurs économiques auxquels étaient soumis cultivateurs et ouvriers. Dans ces périodes de crises économiques répétées, de mauvaises récoltes, d'épidémies, on s'était habitué à blâmer l'Anglais et le gouvernement colonial de tous les malheurs. Le Parti patriote ne pouvait réagir à cela qu'en accentuant sa réprobation à l'endroit des Conseils (exécutif et législatif) et de leurs politiques.

Les quatre-vingt-douze résolutions de 1834 eurent pour effet de cristalliser cette radicalisation du mouvement et d'en écarter les modérés. Le gouvernement de Londres se raidit et l'agitation populaire s'intensifia. Le discours de Papineau et de ses associés devinrent plus violents. Au *Doric Club*, formé de jeunes Anglais échauffés de Montréal, qui posaient des gestes provocateurs, des jeunes Canadiens opposèrent les *Fils de la liberté* qui se préparaient à la Révolution. On songeait sérieusement, chez les Patriotes, à proclamer l'indépendance du Bas-Canada. L'échec retentissant et relativement rapide de la rébellion armée de 1837 ne le leur permit pas. Il y eut d'autres insurrections en 1838. Il y eut surtout la visite d'un enquêteur de Londres, Lord Durham, qui remit en janvier 1839 son célèbre rapport recommandant le gouvernement responsable mais à la seule condition de l'union des deux Canadas et de l'assimilation des Canadiens francophones. Voilà donc le résultat du nationalisme canadien: la négation totale de toutes ses aspirations. Les Canadiens se retrouvaient plus faibles qu'ils ne l'avaient jamais été depuis la Conquête.

Pourquoi cet échec? Il faut dire d'abord que le mouvement patriote, en dépit de son intensité et de la ferveur populaire qu'il a suscitée, reposait sur des bases plutôt fragiles. Comme je l'ai indiqué plus haut, l'ambivalence idéologique du nationalisme canadien ne lui a pas permis de s'établir solidement. Qu'un libéralisme soit voué à la préservation de valeurs d'ancien régime, voilà une anomalie qui ne pouvait pas se perpétuer. Notons encore qu'au moment des rébellions, le mouvement était encore divisé entre factions plus ou moins radicales.

Ambivalents, les Patriotes l'ont été aussi quant à l'usage de la violence. Papineau lui-même n'était pas du tout préparé à jouer le rôle de leader d'une rébellion. Il s'était trouvé fort à l'aise dans la violence verbale mais il semble bien que son idéal politique, une fois contrecarré par les autorités coloniales, est demeuré enfermé au niveau de la rhétorique. Beaucoup de ses discours invitaient au moins implicitement à la violence armée mais lui-même s'est par la suite défendu d'avoir incité les siens à la révolte.

Le mouvement patriote a recueilli un grand nombre d'adhérents dans la région de Montréal où la ferveur révolutionnaire était grande en 1837. Mais à Québec et dans le Bas-Saint-Laurent, ce sont les modérés qui l'ont emporté. La situation économique étant beaucoup moins pénible dans cette région où florissait le commerce du bois, le mouvement radical n'a pas trouvé prise.

Enfin, l'opposition des évêques et d'une bonne partie du clergé a sans doute contribué pour beaucoup à la faillite du mouvement radical. Les évêques ne s'opposent pas au nationalisme comme tel, comme ils le montreront bien par la suite. Mais ils ne pouvaient accepter le type de pouvoir auquel aspiraient les leaders patriotes parce que leur propre autorité en aurait été diminuée. Le mouvement patriote se trouvait donc coincé entre deux ennemis, les marchands anglais et le pouvoir clérical. Les leaders du mouvement ne sont pas parvenus à faire la lutte sur deux fronts; d'où leur ambiguïté vis-à-vis du clergé qu'ils flattaient tout en le combattant.

Au moment de la rébellion, l'épiscopat canadien s'est résolument rangé du côté du pouvoir colonial. Le mandement de Mgr Lartigue, évêque de Montréal, lu dans toutes les paroisses du diocèse, énonçait une doctrine à la fois très simple et très rigide: «Il n'est jamais permis de se révolter contre l'autorité légitime ni de transgresser les lois du pays». Les curés sont enjoints de refuser les sacrements à tous ceux qui participent au mouvement de rébellion, même à ceux qui l'appuient. Il semble bien que ces injonctions aient exercé une grande influence dans une population qui, dans l'ensemble, demeurait très religieuse et soumise au clergé. C'est ce même clergé qui, après l'échec du nationalisme patriote, se trouvera en bonne position pour prendre la relève et s'assurer le leadership de la société canadienne pour de longues années.

Bilan du nationalisme canadien

Le nationalisme canadien a donc échoué parce que la société dans laquelle il s'insérait n'avait pas atteint le stade d'évolution qui ailleurs avait permis à de semblables entreprises de réussir.

Il faut noter cependant que ce mouvement, au moins dans sa dynamique sinon dans ses effets, contenait des éléments qui le font appartenir au modèle du nationalisme moderne. D'abord, il était animé par une nouvelle classe sociale dont l'ascension correspondait au déclin d'une noblesse d'ancien régime. Cette bourgeoisie libérale introduisait des valeurs nouvelles dans une société traditionnelle, mais elle s'est arrêtée à mi-chemin: elle s'est contentée d'une révolution formelle sans vouloir vraiment changer la société en profondeur.

Le nationalisme canadien est politique, en ce sens qu'il vise à conquérir un pouvoir pour qu'il appartienne aux élites nationales. Il ne se contente pas de revendiquer des droits, de proclamer la fidélité à une culture, à une langue, à une religion. Il s'attaque directement au pouvoir politique, en vue de l'établissement d'une nouvelle souveraineté nationale. Cela appartient nettement à la catégorie «moderne».

Ce nationalisme est aussi territorial. La population à laquelle il s'adresse est ancrée dans les limites d'un territoire défini, celui du Bas-Canada qui semble bien suffire aux aspirations des leaders canadiens. Il n'est pas question de définir la nation autrement qu'en termes territoriaux. Les Canadiens ont le sentiment que cette terre est à eux, même s'ils ne contestent pas son intégration dans l'Empire britannique, entendue dans un sens large. En d'autres termes, on se contente d'un contrôle interne du territoire sans se préoccuper de sa signification au plan international. Cet aspect territorial est un autre élément du nationalisme moderne mais encore ici les Canadiens s'arrêtent à mi-chemin.

Ils s'arrêtent encore en cours de route dans leur laïcisme. Que les leaders du mouvement aient voulu s'assurer un pouvoir aux dépens du clergé et par là ériger une structure politique laïque, cela les place à l'intérieur d'un nationalisme moderne. Mais l'allégeance de la population à la nation canadienne n'était pas définie en termes résolument laïcs. La religion catholique continuait d'être envisagée comme un élément essentiel de la nationalité.

Enfin, le nationalisme canadien n'était pas entièrement centré sur l'ethnie ou la race, quoi qu'en ait dit Lord Durham. Des anglophones, les Stuart, Neilson, Brown et autres, ont participé au mouvement à un moment ou l'autre. Papineau se disait ouvert à l'accueil de personnes d'origine non française à l'intérieur de la société canadienne bien qu'il leur interdisait le droit d'influer sérieusement sur le système de valeurs en place. Ajoutons à cela que le mouvement patriote s'est grandement apppuyé sur la tradition parlementaire britannique pour réclamer le «home rule». Sans doute, il y avait là une part de tactique mais il est difficile de croire qu'il n'y ait pas eu chez les leaders canadiens un grand respect pour la théorie politique anglaise et, somme toute, assez peu d'intérêt pour la politique française. Malgré cela, le nationalisme canadien n'a pas été exempt d'un certain racisme surtout en ce qui concerne l'immigration. On a encouragé la population canadienne à s'en prendre aux immigrants qui venaient, disait-on, voler des emplois et, pire encore, propager des épidémies. Dans l'ensemble, l'immigration venant des îles britanniques a été vue de façon fort négative de la part des nationalistes. Encore ici, donc, le mouvement patriote souffre d'une ambiguïté.

En dépit de leur ambiguïté, ces cinq éléments d'un nationalisme moderne demeurent bien présents. Ils sont seulement entravés par des éléments qui s'accordent mieux au modèle traditionnel et qui annoncent le type de nationalisme qui apparaîtra plus tard. L'opposition farouche au libéralisme économique, l'accent placé sur la fidélité à un héritage culturel ancien et dont on n'envisage guère l'évolution, l'aspect élitiste d'un mouvement qui s'inscrit dans un parti unique à toutes fins pratiques et qui s'adresse à une population en grande partie illettrée, malléable et peu encline à critiquer ses chefs naturels; tous ces éléments s'associent beaucoup mieux au modèle traditionnel qu'au modèle moderne.

Le nationalisme canadien apparaît tout de même plutôt «moderne», surtout si on le compare au type de nationalisme qui va suivre, en raison des facteurs mentionnés plus haut. Il faut donc le ranger dans une sorte de catégorie mixte, caractéristique de sociétés qui hésitent entre la fidélité à leur passé et leur libération de la tutelle étrangère. À cet égard, il serait intéressant de comparer des nationalismes d'Europe de l'est, comme ceux de Pologne et de Hongrie, à celui des Canadiens. Polonais et Hongrois sont aussi demeurés attachés à des traditions d'ancien régime tout au long du 19e siècle. Leurs nationalismes avaient quelque chose de romantique qui les rattache au modèle traditionnel mais ils comportaient aussi des éléments de libéralisme qui les rapproche sans aucun doute du modèle révolutionnaire français.

Le nationalisme canadien aura avorté en raison même de cette hésitation entre l'ancien et le moderne et plus encore parce que ses leaders auront surestimé l'appui que leur apportait la population. Cet appui comportait des limites qu'on a mal évaluées. Je ne résiste pas à comparer cette erreur d'évaluation à celle commise par les leaders du Parti québécois en 1980. Dans les deux cas, pour avoir voulu aller trop loin, trop vite, on a dû rebrousser chemin et se retrouver en fort mauvaise posture. Non pas que les objectifs des deux mouvements étaient inacceptables en eux-mêmes. On les a fort bien réalisés ailleurs. Mais, dans les deux cas, on se trouvait en présence d'une population qui, tout en vivant un nationalisme assez intense, se refusait à endosser un changement qu'elle jugeait trop aventureux. Les deux mouvements se sont donc soldés par des échecs humiliants.

Après l'échec du nationalisme patriote, il faudra attendre plus de cent ans avant que les Canadiens, sous le nouveau nom de Québécois, prennent conscience à nouveau de la dimension politique de leur appartenance nationale à la faveur d'un mouvement qui les fera entrer résolument dans l'ère moderne. Entre temps, ils se réfugieront dans un nationalisme de type traditionnel.

CHAPITRE 4

Le nationalisme canadien-français : construction d'une idéologie

La période qui suivit la publication du Rapport Durham fut une période de grande morosité chez les élites canadiennes qui s'étaient nourries de nationalisme. Tout à coup, le destin de la nation apparaissait sans issue. Les possibilités de reprise du combat étaient à peu près nulles. Papineau et d'autres leaders avaient pris le chemin de l'exil. D'autres encore étaient en prison. La perspective de l'Union des deux Canadas était envisagée comme la voie certaine à l'assimilation. Les évêques, sortis gagnants de leur épreuve de force avec la bourgeoisie professionnelle, n'en redoutaient pas moins l'Union éventuelle. Ils multipliaient les pressions auprès des autorités pour que le projet ne se réalise pas. Rien n'y fit. Londres décréta l'Acte d'Union. Le Haut et le Bas-Canada ne formeraient plus qu'une seule entité politique et, au surplus, en dépit de la supériorité numérique de la population du Bas-Canada, un même nombre de députés devaient représenter les deux territoires à la Chambre. Pour rendre la situation plus noire encore, aucun Canadien francophone n'était appelé à faire partie du nouvel exécutif. Dans ces circonstances, on aurait pu croire le nationalisme bel et bien mort. Il ne restait aux Canadiens qu'à se résigner à leur triste sort. Dans une certaine mesure, il y a eu résignation. Le nationalisme canadien (celui dont il a été question au précédent chapitre) a été répudié certainement par la majorité de la population et même dans les milieux politiques. Il restait bien quelques nostalgiques du Parti patriote qui espéraient le retour de Papineau et le jour de l'indépendance mais ils n'avaient plus ni moyens ni influence. La plupart des anciens membres du Parti patriote chercheraient d'autres voies. Parmi eux, c'est Louis-Hippolyte LaFontaine qui réussira le mieux à donner une nouvelle orientation à la politique canadienne et à exploiter un autre type de nationalisme qui survivra à la déconfiture de l'idéologie patriote.

Les deux chapitres qui suivent s'emploieront à dégager la nature de ce nationalisme canadien-français; d'abord à mesure qu'il s'implante au cours du 19e siècle, puis dans son apogée et sa crise au 20e siècle.

La voie moyenne et la politique du possible

LaFontaine était un réaliste et un habile politicien. Après l'hécatombe de 1838, il apparaissait comme l'homme tout désigné pour prendre la relève de Papineau. Homme du juste milieu (comme le sont la plupart des politiciens qui réussissent, surtout dans les périodes de grande désillusion), il avait participé au mouvement patriote jusqu'au moment où la rébellion devint inévitable et, à ses yeux, vouée à l'échec. Pour sortir du dilemme qui se posait alors à un patriote qui n'approuvait plus les méthodes du parti, il s'était volontairement exilé sans manifester publiquement sa dissidence. Cela lui valut de pouvoir recueillir à la fois l'adhésion des anciens patriotes et celle des ennemis de la rébellion. Cela lui valut aussi de garder une bonne réputation auprès des autorités britanniques et des milieux anglophones.

Entre le rêve brisé de l'indépendance et le désespoir face à l'assimilation, une troisième voie lui apparaissait possible:

celle de la collaboration avec les anglophones dans un univers plus large que celui du Bas-Canada, tout en s'efforçant de préserver une identité francophone et certains droits qui se rattachent à cette identité. C'est la voie qu'il allait indiquer à ses compatriotes durant toute sa carrière politique et dans laquelle d'autres hommes politiques canadiens-français ne cesseront de s'engager par la suite. LaFontaine accepta résolument l'Union, se rendant compte probablement qu'à ce moment de la conjoncture, si tôt après les insurrections, Londres n'envisagerait pas d'autres formules. Il s'employa plutôt à corriger les aspects de la nouvelle constitution qui étaient les plus préjudiciables aux Canadiens français. Pour arriver à ces fins, il utilisa autant qu'il pût et fort habilement des alliances avec des anglophones du Haut-Canada, notamment avec le réformiste Robert Baldwin.

La nouvelle voie de LaFontaine allait empêcher l'assimilation totale des francophones. Mais elle supposait en même temps l'acceptation d'une condition qui devait modifier considérablement la conscience nationale des Canadiens: la *minorisation*. Désormais, le peuple canadien de langue française allait se percevoir et se définir comme une minorité. En effet, même si le Canada uni ne deviendrait pas majoritairement anglophone avant 1851, la structure même de la nouvelle Chambre (nombre égal de députés pour chacun des deux Canadas) plaçait les francophones en minorité. C'est donc pour des droits de minoritaires que LaFontaine allait combattre. Il y réussit admirablement en exploitant toujours les tendances réformistes de ses alliés anglophones pour en arriver à une meilleure reconnaissance de la langue française, de la religion catholique et des traditions chères aux Canadiens. Ces derniers continueront longtemps de s'appeler «Canadiens» mais déjà, en 1841, au moment de la proclamation de l'Acte d'Union, ils étaient destinés à se nommer Canadiens français.

LaFontaine, devenu chef d'un parti favorable à l'Union, ne parvint pas à se faire élire aux élections de 1841. Mais aussitôt son ami Baldwin lui ouvrit un siège à Toronto où il fut élu. Ironie du sort! C'est à titre de député de Toronto que

LaFontaine prononça dans la nouvelle capitale, Kingston, son premier discours à la Chambre dans la langue française. Il entendait ainsi «protester solennellement contre cette cruelle injustice de cette partie de l'Acte d'Union qui tend à proscrire la langue maternelle d'une moitié de la population du Canada[1]». C'est seulement en 1849 que Lord Elgin acceptera d'officialiser à nouveau la langue française. Mais dès 1842, avec ce discours de LaFontaine , le français avait retrouvé dans les faits une sorte de droit de cité.

LaFontaine avait donc réussi à faire mentir les prophètes de malheur et la politique recommandée par Lord Durham. Les Canadiens français conserveraient leur langue, leurs droits même si le régime seigneurial devait être aboli, des bureaux d'enregistrement, mis sur pied, des canaux et des routes, construits. La participation canadienne-française au gouvernement était un fait accompli. Mais, pour longtemps, les hommes politiques canadiens-français ne tenteraient plus d'orienter eux-mêmes les destinées de leur société. Le nationalisme, pour présent qu'il fût au niveau politique, allait surtout se retrancher dans l'ordre culturel.

Pour faire mentir Lord Durham qui avait stigmatisé les Canadiens français comme un peuple sans histoire et sans culture, François-Xavier Garneau écrit son *Histoire du Canada,* une oeuvre brillante toute centrée sur les hauts faits des premiers colons français. Là se dessinent, comme chez les autres écrivains qui se manifesteront nombreux durant la seconde moitié du 19e siècle, les traits du nationalisme canadien-français: un nationalisme culturel et fondé sur le passé, sur une nouvelle conscience historique. On apprend déjà à dire: «Je me souviens». Mais Garneau était un libéral et les premiers tomes de son histoire n'ont pas suffisamment souligné les aspects religieux de l'histoire canadienne au goût des membres du clergé. L'historien témoigna alors de l'importance grandissante que

---

1. Cité par Jacques Monet, *The Last Cannon Shot. A Study of French-Canadian Nationalism, 1837-1850,* Toronto, University of Toronto Press, 1969, p. 197.

prennent les autorités religieuses dans la société canadienne en donnant à son troisième tome une note plus favorable à la religion catholique. En fait, les clercs étaient en bonne voie de devenir les véritables leaders du nationalisme canadien-français.

Consolidation du pouvoir ecclésiastique

C'est l'évêque de Montréal, Mgr Ignace Bourget, qui apparaît comme le plus grand architecte de cette impressionnante organisation ecclésiastique qui allait encadrer la vie des Canadiens français pendant plus de cent ans. Cet homme, qui succède à Mgr Lartigue en 1840 pour conserver le siège épiscopal jusqu'à 1876, exerce sur son diocèse une autorité incontestée tant dans les affaires religieuses que dans leurs multiples prolongements sociaux.

Mgr Bourget avait compris que la démocratie allait tôt ou tard s'installer au Canada. Sans doute souhaitait-il, comme la plupart des clercs de son époque, qu'il en fût autrement: le gouvernement idéal, pour l'Église catholique d'alors, c'était la monarchie absolue, celle qui avait fait la gloire de l'ancienne France. Mais l'évêque de Montréal était assez lucide pour entrevoir que le gouvernement britannique ne pourrait priver longtemps ses colonies des droits parlementaires en vigueur dans la métropole. Cette nouvelle situation allait forcer l'Église canadienne à modifier sa stratégie politique. Déjà l'alliance traditionnelle entre autorité coloniale et autorité religieuse donnait des signes de faiblesse. Bien sûr, elle avait eu raison de la rébellion mais elle n'était pas parvenue à empêcher l'événement. De toute évidence, en dépit de leur influence, les évêques n'avaient pas été des meneurs de jeu. Sans renoncer aux bonnes relations avec les gouverneurs, il fallait donc chercher à atteindre la population de façon plus directe, se rapprocher des gens dans leur vie quotidienne pour mieux influencer leur manière de pensée et leur comportement.

Pour arriver à ces fins, Mgr Bourget va s'entourer non seulement de ses prêtres qui déjà sont responsables de l'animation des paroisses, mais aussi d'un grand nombre de communautés religieuses engagées dans des oeuvres d'éducation et de service social. De plus, l'évêque de Montréal comprend bientôt qu'il aurait tout avantage à se faire des alliés politiques à l'intérieur même du personnel élu, dans la mesure où l'influence de ce personnel allait être croissante. Avec le temps, il apprend à apprécier la modération de LaFontaine et contracte une alliance avec son parti.

Ce désir de l'épiscopat d'étendre son pouvoir à toutes les dimensions de la société peut s'expliquer comme une tendance toute naturelle et machiavélienne de l'ambition de personnes exerçant déjà un pouvoir. Mais il faut comprendre aussi que, dans le cas des évêques catholiques, cette ambition s'appuie sur une justification doctrinale. Selon la doctrine traditionnelle de l'Église, en effet, une véritable animation religieuse n'a de sens que si elle se prolonge en animation sociale. Autrement dit, selon cette doctrine, l'évangélisation doit se poursuivre à tous les niveaux de l'existence humaine. Comment alors un évêque résisterait-il à étendre le plus loin possible l'influence religieuse dans la société?

Mgr Bourget se met à l'oeuvre dès les premières années de son épiscopat. Il fait appel à des communautés religieuses déjà établies en France et qu'il invite à s'implanter au Canada. Communautés d'hommes, de femmes, de prêtres, de frères, de soeurs répondront en grand nombre à son appel au cours de la seconde moitié du siècle, avec d'autant plus d'empressement que la situation européenne n'est pas toujours très favorable à ces communautés. Au cours de cette période, on verra s'implanter au Canada français les Jésuites, les Dominicains, les Franciscains, les Oblats, les Clercs de Saint-Viateur, les Clercs de Sainte-Croix, les Pères de Saint-Vincent-de-Paul, les Dames du Sacré-Coeur, les Soeurs du Bon Pasteur, les Frères des Écoles chrétiennes, les Frères de l'Instruction chrétienne et plusieurs autres, sans compter plusieurs communautés créées sur place par des évêques.

Ces hommes et femmes vont épauler le clergé dans son effort d'encadrement de la société canadienne-française. D'abord dans le domaine vital de l'éducation. Grâce au concours de LaFontaine et d'autres politiques, dès 1846, le système scolaire tombe sous le contrôle effectif du clergé. Les écoles publiques francophones seront catholiques et peu à peu les religieux y joueront un rôle de plus en plus grand. Des communautés entières sont vouées à l'enseignement à divers niveaux du système scolaire. Les collèges classiques sont tous entre les mains du clergé, soit comme séminaires diocésains, soit sous la direction d'une communauté religieuse. L'Université Laval, créée en 1852, est aussi tout entière sous l'autorité cléricale. La charte est pontificale, l'évêque en est le chancelier et son administration est composée de membres du clergé. Les clercs sont aussi présents à un moindre degré, au moins à titre d'aumôniers, dans toutes les autres institutions d'enseignement d'ordre technique, commercial ou professionnel.

Tout le domaine des services sociaux, quand il sort du milieu familial pour devenir public, est aussi entre les mains du clergé ou des communautés religieuses. Les hôpitaux, les orphelinats, les hospices sont dirigés et, en grande partie, desservis par des religieux.

Même les activités culturelles et les loisirs sont très souvent animés par le clergé dans le cadre paroissial ou encore grâce à des institutions comme les patronages. L'Église cherchera encore à pénétrer l'information en obtenant un appui engagé de la part de certains journaux ou en se donnant les siens propres, comme *Les Mélanges religieux* de Mgr Bourget et *Le Trifluvien* de Mgr Laflèche. Plus tard, au 20e siècle, des quotidiens voués aux intérêts cléricaux seront fondés à Québec (*L'Action catholique*), à Montréal (*Le Devoir*) et à Ottawa (*Le Droit*).

La pratique religieuse elle-même, en général assez régulière, constitue un moyen de contrôle exceptionnel pour le clergé. En plus de la messe dominicale, toutes sortes de célébrations sont organisées pour rassembler les fidèles: fêtes religieuses, vêpres dominicales, célébration des sacrements de la naissance à la mort, quarante-heures, etc. De plus, on encourage les fidèles à ponctuer leurs vies et leurs jours de prières de toutes sortes. Enfin, les signes religieux sont présents dans l'architecture et le paysage canadien-français avec les églises qui dominent les villages et les croix érigées le long des routes.

Cet encadrement religieux en viendra à influer tellement sur la vie des Canadiens français que l'idée de nation canadienne-française apparaîtra comme indissociable de la foi catholique. D'ailleurs ce sont les clercs eux-mêmes qui entreprendront de définir la nation et de promouvoir le nationalisme. Ils le feront dans des termes nettement traditionnels en fonction d'une doctrine réactionnaire braquée contre toutes les idées modernes : le rationalisme du 18e siècle, la Révolution française, le libéralisme. Être Canadien français, cela voudra dire d'abord être fidèle à la foi de ses ancêtres, maintenir les cadres familial et paroissial intacts, demeurer enraciné dans la terre ancestrale, résister à l'industrialisation.

La doctrine propagée par le clergé et les religieux canadiens sera d'autant plus traditionnelle qu'elle sera alimentée par les éléments les plus conservateurs du catholicisme français. En effet, ce sont les groupes catholiques les plus désenchantés face aux progrès de l'idéologie laïciste qui s'intéresseront au Canada, y voyant une sorte de paradis perdu, la terre par excellence de l'ancien régime dont ils rêvaient, et qui pourront songer à s'y établir pour retrouver un morceau intact de cette France catholique d'autrefois. Par leur influence ou par leur présence en terre canadienne, ils vont contribuer à accentuer le conservatisme du catholicisme canadien. Le mouvement ultramontain, par exemple, assez fort dans les dernières années du 19e siècle, est un adaptation canadienne du mouvement ultracatholique français voué à la défense du royaume temporel du Pape. Il est assez étrange qu'une doctrine jugée contraire au nationalisme en France (parce qu'elle était axée sur la fidélité à une institution étrangère, au-delà des montagnes) soit devenue au Canada intégrée à une forme de nationalisme. Cela tient sans doute au caractère bien particulier de ce nationalisme canadien-français.

Selon Mgr Laflèche (évêque de Trois-Rivières de 1870 à 1898), par exemple, la nation est constituée par l'unité de langue, l'unité de foi, l'uniformité des moeurs, des coutumes et des institutions, et la mission du Canada français est de constituer un foyer de catholicisme dans le Nouveau Monde. S'il est vrai que cet évêque représente une tendance extrémiste, on peut dire tout de même que sa définition de la nation était celle de la majorité des élites, laïques aussi bien que cléricales.

Ce nationalisme canadien-français d'inspiration cléricale constituera donc une sorte de point de rassemblement pour tout un peuple pendant plus d'un siècle. Cela ne se fera pas cependant sans difficultés, surtout dans les premières années, et le message ne sera pas entendu de tous, loin de là. Par exemple, la doctrine clérico-nationaliste n'empêchera pas des élites canadiennes-françaises et certains éléments de la population d'être fortement influencés par le libéralisme économique nord-américain. Un Georges-Étienne Cartier pourra s'intégrer à la bourgeoisie d'affaire anglophone sans rompre les liens avec la nation et sans perdre sa popularité. La doctrine traditionnelle sera parfois aussi brutalement contrariée par la dure réalité économique. À l'encontre du message clérical de fidélité au sol natal, des dizaines de milliers de Canadiens français iront chercher de l'emploi ailleurs, aux États-Unis, en plein territoire «matérialiste», «anglophone» et «protestant».

Malgré tout, le nationalisme traditionnel se maintiendra dans ses trois caractéristiques majeures: son lien avec la religion, son apolitisme et sa transcendance par rapport au territoire. Il résistera aux défis que représenteront pour lui, entre autres, le mouvement rougiste et l'avènement du régime de la Confédération canadienne. Ces défis méritent une attention particulière.

Le libéralisme des Rouges[2]

Dans ses efforts pour propager sa doctrine et bien encadrer l'ensemble de la société canadienne-française, du moins dans

---

2. Voir Jean-Paul Bernard, *Les Rouges. Libéralisme, nationalisme et anticléricalisme au milieu du XIXe siècle*, Montréal, Presses de l'Université du Québec, 1971.

la région de Montréal, Mgr Bourget n'eut pas la tâche facile. Dès les années 1850, il dut faire face à un mouvement d'envergure profondément opposé au message clérical traditionnel. Durant une vingtaine d'années, le Canada français a été marqué d'une hétérogénéité idéologique comme il n'en avait pas connu de toute son histoire et comme il n'en connaîtra pas avant la Seconde Guerre mondiale.

Le mouvement rougiste s'enracine dans la radicalisation du mouvement patriote, surtout dans son aile résolument progressiste qui s'était engagée à répudier les vieilles institutions canadiennes en même temps que le cadre politique colonial. Ces jeunes libéraux avaient dû se taire après l'échec des rébellions. Ils refont surface peu à peu, surtout quand ils sont réconfortés par le retour de Papineau et par ses attitudes plus intransigeantes que jamais. Mais Papineau, devenu personnage légendaire, ne deviendra pas le leader de ce mouvement qui aurait d'ailleurs mal supporté les ambiguïtés relevées au chapitre précédent.

Ces libéraux apparaissent dans le paysage politique aux alentours de 1850, quand ils forcent le parti de La Fontaine à s'identifier comme conservateur. Désormais, ce sont avec les tories du Haut-Canada que s'associeront les successeurs de LaFontaine, Cartier et Taché, tandis que les Rouges chercheront des alliances avec les libéraux anglophones dits «Clear Grits».

Le programme politique des Rouges est nettement progressiste. Il réclame la modernisation des institutions, la libéralisation du système scolaire pour le rendre ouvert à tous et dégagé du contrôle clérical, le rappel de l'Union, l'indépendance du Canada et son annexion aux États-Unis. Ce programme, les Rouges ne parviennent pas à le mettre en pratique. Ils ne connaissent le pouvoir qu'en de trop rares et trop courtes occasions. Malgré tout, ils obtiennent toujours, jusqu'à 1867, une assez forte proportion du vote populaire.

Les Rouges publient un journal, *L'Avenir*, puis *Le Pays*, dans lequel sont exprimées des idées qui correspondent à peu près à celles qui animent le mouvement libéral en Europe. Ils professent un certain anticléricalisme qui alarme sérieusement les autorités ecclésiastiques et les feuilles qui leur sont dévouées.

Les Rouges deviennent aussi très présents à l'Institut canadien, un organisme voué à la propagation de l'instruction et de la culture. L'Institut abrite une bibliothèque et une salle de conférences où s'expriment les meilleurs talents canadiens-français. Au début, l'organisme ne propage pas une idéologie particulière mais, du seul fait qu'il est ouvert à plusieurs tendances, il irrite l'évêque de Montréal qui cherche à contrôler lui-même toute institution de ce genre. Cette attitude provoque et intensifie le libéralisme de l'Institut qui devient de plus en plus un endroit où se manifestent les Rouges.

Le nationalisme des Rouges est ambigu. Jamais ils ne proposent franchement l'indépendance du Canada français. Ils s'opposent à l'autorité coloniale en réclamant l'indépendance du Canada mais en même temps ils refusent l'Union des deux Canadas. Ils prônent une sorte de fédéralisme très décentralisé avec le Haut-Canada ou encore l'annexion du Bas-Canada aux États-Unis. Voilà qui peut apparaître illogique. Pourquoi refuser l'union avec le Canada anglais et préférer celle avec le grand pays américain? Ce choix provient sans doute d'une grande confiance dans l'autonomie d'un État américain et sa capacité de préserver une identité culturelle. Notez que,à cette époque, la Lousiane était toujours française.

Il est tout de même étonnant que des libéraux qui acclamaient des leaders nationalistes italien et hongrois comme Mazzini et Kossuth n'aient pas osé prôner l'indépendance pour leur propre nation.

Le nationalisme des Rouges les a amenés encore à s'opposer fortement au projet de fédération de l'Amérique du Nord britannique. Antoine-Aimé Dorion, le leader du parti, fait valoir, à l'occasion du débat sur la Confédération, que «l'expérience a démontré que la majorité a toujours tendance à être agressive, tyrannique». Son collègue Perrault voit le nouveau régime comme un «suicide politique, un projet d'annihilation ...» L'Église, de son côté, ne participe pas au débat, ce qui montre bien que son nationalisme se situe en dehors des structures politiques.

Après la mise sur pied du système confédératif, le parti rouge semble perdre de sa vigueur. Il ne parvient plus à trouver des appuis significatifs au Canada français. Le mouvement s'éteindra en douce au cours des années 1870. Il est assez symptomatique que les Rouges, devant la férocité des attaques de l'évêque de Montréal, cherchent par tous les moyens à se réconcilier avec l'Église. On va jusqu'à inviter Mgr Bourget à censurer lui-même le catalogue des livres de l'Institut canadien. L'évêque s'y refuse en déclarant que ce catologue contient beaucoup trop d'ouvrages à réprouver. Il est clair que Mgr Bourget veut littéralement écraser l'Institut, ce qu'il réussit avec le temps.

Vers 1870, c'est l'ultramontanisme qui est en progrès. C'est ce mouvement qui continuera pendant plusieurs années à brandir le spectre d'un rougisme qui n'est plus. Les ultramontains ne mordront pas beaucoup sur le pouvoir. Ni Cartier, ni Chauveau, ni Chapleau ne voudront s'identifier à eux. Mais leur influence sera grande et elle écartera pour longtemps du pouvoir même les libéraux modérés. Des hommes politiques comme Mercier et Laurier devront se livrer à de véritables professions de foi pour faire accepter leur libéralisme. Laurier, en particulier, devra bien expliquer à l'évêque de Montréal que le parti libéral britannique n'avait rien à voir avec le libéralisme continental que Rome avait condamné[3]. Il dut même faire intervenir un cardinal irlandais pour appuyer sa thèse.

Voilà où en était réduit le libéralisme au Canada français. Ou il s'atténuait pour se concilier avec la doctrine du nationalisme canadien-français ou il demeurait marginal.

Le mouvement rouge n'aura donc été qu'une exception qui confirme la règle. Il aura pu exister parce que la consolidation du pouvoir clérical n'était pas encore tout à fait opérée.

---

3. Il est vrai que Laurier a remporté sa première victoire auprès de l'électorat canadien-français à l'encontre de l'opposition des évêques. Mais qu'il ait aussitôt cherché à se concilier ces derniers montre bien qu'il était conscient de la fragilité de sa situation.

À partir du moment où Wilfrid Laurier, un ancien membre de l'Institut canadien, s'agenouille devant son évêque pour devenir ensuite l'idole de ses compatriotes, il est bien clair qu'un véritable mouvement libéral est devenu impensable au Canada français.

Le nationalisme canadien-français est lié de façon indissociable à la religion catholique. En raison même de ce lien, il échappe dans une bonne mesure à l'univers politique et à la territorialité dans laquelle s'inscrit tout pouvoir politique. Cela se produit même si le régime de la Confédération offre un véritable cadre politique au nationalisme des Canadiens français.

Le cadre confédératif

En effet, l'Acte de l'Amérique du Nord britannique fournit aux Canadiens français un instrument d'émancipation comme ils n'en avaient jamais eu au cours de leur histoire. Ils obtiennent un gouvernement où ils sont assurés d'être majoritaires, un gouvernement provincial sans doute dont les juridictions sont limitées mais dont on ne semble pas soupçonner à l'époque les multiples possibilités.

Le projet avait d'abord été conçu par John A. Macdonald, après avoir été envisagé par Lord Durham en 1839 et par plusieurs Canadiens, comme une union législative regroupant toutes les colonies britanniques, offrant ainsi une sorte de rempart aux États-Unis et permettant à l'Empire britannique de constituer un axe commercial et un système de transport et de communication d'est en ouest. À l'insistance de Georges-Étienne Cartier, de certains membres du clergé canadien-français et aussi pour respecter le régionalisme des colonies de l'est, l'union prend un caractère fédératif.

Même si ce caractère fédératif constitue une concession importante aux Canadiens français qui conservent ainsi leur droit civil, leur système d'éducation et toutes leurs institutions religieuses dans une province à majorité francophone, les débats qui entourent le projet portent relativement peu sur ce pouvoir politique nouveau offert à la province de Québec. Tout s'est passé comme si Cartier lui-même n'avait obtenu la concession que pour calmer les craintes des siens, prévenir l'opposition du clergé et comme s'il n'y croyait guère lui-même ou du moins s'y intéressait assez peu. En effet, dans les débats, deux camps s'opposent: celui de la collaboration au pouvoir anglophone, dans la tradition de LaFontaine, représenté par Cartier; celui du refus du projet qui déjà laisse présager la tendance séparatiste ou indépendantiste, représenté par Dorion et les Rouges. Peu d'orateurs insistent sur la souveraineté limitée qui est dévolue au Québec.

Cela tient à plusieurs raisons. D'abord, Cartier lui-même est tout empressé de jouer un rôle au gouvernement central, là où se débattront les grandes questions, celles relatives aux chemins de fer en particulier. Il s'emploie donc à démontrer aux siens les avantages d'être part entière à la fondation d'un grand pays et de faire valoir leurs intérêts par une présence importante dans la capitale fédérale. Il faut dire ensuite que l'importance des prérogatives provinciales n'apparaît pas très clairement à ce moment. Ce qui saute aux yeux, et non sans raison, ce sont les articles les plus centralisateurs comme ceux relatifs aux sources de financement (le pouvoir de lever des taxes directes donné aux provinces n'est guère séduisant à l'époque), au pouvoir résiduel. Il faudra attendre des jugements du Conseil privé de Londres pour voir apparaître la force des provinces.

Mais la raison fondamentale de cette absence d'intérêt pour le pouvoir provincial se trouve, à mon avis, dans l'absence d'une forte dimension politique du nationalisme canadien-français. S'il est vrai que l'Église est devenue le lieu du leadership de ce nationalisme, sa première source d'inspiration ou, tout au moins, si le caractère traditionnel occupe tout le champ du mouvement, on comprend qu'il n'y ait guère de place chez les nationalistes pour les aspirations politiques. Les idéaux du nationalisme moderne, contrôler un pouvoir, s'imposer comme majorité, prendre possession d'un territoire n'ins-

pirent pas le mouvement canadien-français. La «survivance» est conçue comme une force négative de protection d'un héritage culturel, non pas comme un dynamisme aboutissant à une affirmation politique.

Pour le clergé canadien-français, le nouveau cadre confédératif permet de maintenir des traditions. Cela est suffisant car cela n'entrave point le leadership national qui transcende l'ordre politique et même le cadre territorial de la province de Québec. Voilà pourquoi le clergé est demeuré hors du débat. Content de ne pas être menacé, il poursuivait son travail à un autre niveau.

Dans la population elle-même, la nouvelle constitution est accueillie sans grand enthousiasme. Le projet est voté au Parlement du Canada uni par une majorité de quatre-vingt-onze députés contre trente-trois, les Rouges ayant été abandonnés par leurs alliés libéraux anglophones. Dans le Bas-Canada, le vote n'est que de trente-sept contre vingt-cinq; vingt-sept députés francophones seulement votent positivement et vingt-cinq contre vingt-quatre parmi les représentants de comtés à majorité francophone. C'est la dernière manifestation d'une politique rouge au Canada français. Dès que le régime confédératif entrera en vigueur, les Rouges seront dévalorisés par leur opposition à la Confédération (un peu comme, plus tard, les péquistes au lendemain du référendum), en plus d'être victimes des foudres ultramontaines et cléricales.

Les premières années du nouveau système seront donc marquées par le conformisme à deux niveaux qui se traduira par la domination du pouvoir fédéral sur le pouvoir provincial et celle du Parti conservateur sur le Parti libéral. Le système du double mandat (élection aux deux parlements), qui prévaut durant les premières années, accentua encore ce conformisme. Comme en 1791, avec l'Acte constitutionnel, il faudra attendre, cette fois-ci presque vingt ans, pour que se manifeste une certaine forme de nationalisme à l'intérieur du cadre confédératif.

La politique nationaliste d'Honoré Mercier

Honoré Mercier, à ses débuts politiques sur la scène fédérale, avait tenté en vain de regrouper des libéraux sous une nouvelle étiquette, le Parti national. Il n'avait que contribué à faire élire un gouvernement libéral à Ottawa. Plus nationaliste que libéral, Mercier rêvait de rassembler les siens en vue d'une grande cause. La chance lui est offerte en 1885. Louis Riel, chef des rebelles métis de la Saskatchewan, est condamné à mort et pendu, à la grande satisfaction des anglophones, au grand scandale des Canadiens français. Macdonald avait penché du côté de la majorité. Voilà un type de décision (comme le seront plus tard celles de Laurier en 1899, de Borden en 1917 et de King en 1942) qui donnait raison aux critiques du régime confédératif: dans les cas où se manifestent des intérêts ethniques opposés, la majorité anglophone doit l'emporter sur la minorité francophone. Devant une foule de cinquante mille personnes, rassemblées à Montréal, au Champ de Mars, Mercier prononce un discours à l'emporte-pièce, appelant tous les siens à l'union devant ce qu'il appelle «le fanatisme» et «la trahison». «Fanatisme» du pouvoir anglais, «trahison» des ministres canadiens-français dans le Cabinet fédéral: «Voilà vingt ans que je demande l'union de toutes les forces vives de la nation... Il fallait le malheur national que nous déplorons, il fallait la mort de l'un des nôtres pour que ce cri de ralliement fût compris...» Dans la foulée du mouvement d'indignation nationaliste et de son succès populaire, Mercier, alors chef de l'opposition libérale à Québec, lance un nouveau parti national qui ralliera des conservateurs aussi bien que des libéraux. Voilà le premier parti politique canadien-français qui n'est pas inféodé à un grand parti pan-canadien.

Mercier est porté au pouvoir en 1886 et réélu en 1890 avant de s'effondrer à la fin de 1891 sous le poids du scandale de la Baie des Chaleurs. Il avait annoncé une politique de grandeur sous le signe de l'autonomie provinciale. Il s'exécute et prend en main ses responsabilités de chef d'un gouvernement national.

Il affirme et cherche à accroître le pouvoir politique du gouvernement du Québec. Il affronte le Premier ministre Macdonald, il s'attire l'hostilité des Anglo-Canadiens, il convoque à Québec, en 1887, la première conférence des Premiers ministres provinciaux. Il voyage comme aucun chef de gouvernement du Québec ne l'avait fait avant lui, ni après lui jusqu'à la Révolution tranquille. Il se rend à New York pour contracter des emprunts, à Baltimore pour un congrès eucharistique, à Londres, en France à deux reprises et à Rome. Il établit des liens particuliers avec la France, non seulement dans le domaine culturel mais en matière économique (sans grand succès à ce chapitre toutefois). Tous gestes qui préfigurent le grand tournant des années 1960.

Est-ce à dire que Mercier rompt avec le nationalisme traditionnel et ouvre une nouvelle ère fondée sur un nationalisme moderne? Non pas vraiment. Sans doute entrevoit-on déjà ici les possibilités d'un pouvoir québécois et d'une politique d'affirmation et d'ouverture. Mais le nationalisme canadien-français conserve malgré tout ses traits majeurs et inspire encore la politique de Mercier.

D'abord, il n'est pas vraiment question de rompre avec la minorisation des Canadiens français. Un accent nouveau est placé sur le territoire: Mercier cherche même à agrandir le territoire de la province de Québec. Mais jamais il n'ira jusqu'à proclamer la terre québécoise comme la patrie des Canadiens français, comme le fera plus tard Jean Lesage. Il se fait plutôt l'avocat de la minorité canadienne-française.

De plus, en bon politicien, Mercier cherche constamment à demeurer dans les bonnes grâces du clergé. Contrairement aux Rouges dont il est issu, il ne s'érige jamais en pouvoir laïc autonome. Il nomme le curé Labelle sous-ministre. Quand il voyage, il consacre la majeure partie de son temps à des rencontres avec des personnalités catholiques. Le rapprochement avec la France, il l'opère en conservant ses distances à l'égard des laïques de la Troisième République. Ce sont des catholiques français qui lui réservent le meilleur accueil.

Le nationalisme canadien-français n'est donc pas sérieusement menacé par la politique de Mercier. Les libéraux auront appris les limites qu'ils devaient imposer à leur libéralisme pour satisfaire aux exigences des autorités cléricales. Félix-Gabriel Marchand, successeur de Mercier et Premier ministre de 1897 à 1900, l'apprendra bientôt à ses dépens. Il devra reculer devant l'évêque de Montréal, Mgr Bruchési, et retirer un projet de ministère de l'Instruction publique pourtant approuvé par l'Assemblée législative et même considéré comme acceptable pour certaines autorités religieuses.

Au tournant du siècle, la partie est gagnée. L'Église catholique est omniprésente dans la société québécoise. Cette société n'a d'autres véritables points de ralliement que son nationalisme de «survivance» animé par ses leaders religieux.

CHAPITRE 5

Une tradition triomphante et menacée

Les premières décennies du 20e siècle consacrent le triomphe du nationalisme canadien-français. Les traits majeurs de l'idéologie traditionnelle ne seront pas sérieusement contestés intellectuellement avant la fin de la Seconde Guerre mondiale. Mais beaucoup plus tôt, dès le début du siècle, on peut noter des signes avant-coureurs de l'éclatement de cette idéologie conçue essentiellement en fonction d'une société paysanne, artisanale et autoritaire. La contradiction apparaît déjà entre une société engagée dans un processus d'industrialisation et une pensée officielle d'ancien régime.

Deux grandes personnalités marquent cette période. Même s'ils sont des contemporains et exercent leur influence très souvent sur les mêmes personnes, les mêmes groupes, on peut dire que chacune des deux variantes du nationalisme qu'ils élaborent à tour de rôle appartient à une génération différente. Henri Bourassa inspire un mouvement qui occupe surtout les premières vingt années du siècle. Lionel Groulx devient particulièrement influent au cours des vingt ans qui suivent.

Le nationalisme de Bourassa répond au contexte général de l'impérialisme britannique du tournant du siècle. Le nationalisme de Groulx se situe dans le contexte d'industrialisation massive qui a suivi la «Grande Guerre» et aussi dans le cadre de la crise des années trente. Ces deux contextes, ces deux réactions et les mouvements politiques qui s'en suivent feront l'objet de ce chapitre.

Empire et nation

Dans l'ensemble, le nationalisme des Canadiens français entre 1840 et 1960 n'a pas constitué une menace importante pour la majorité anglophone du pays. L'une des raisons pour lesquelles on ne s'est guère objecté à la prétention des Canadiens français de constituer une nation, c'est l'absence d'un nationalisme pan-canadien qu'on aurait pu opposer au particularisme des francophones. Cette absence de nationalisme peut même être considérée comme l'un des traits majeurs de la physionomie de l'Amérique du Nord britannique.

En effet, si l'on accepte de considérer les Loyalistes venus des États américains à la fin du 18e siècle comme le noyau central de la population anglophone du Canada, on verra dans leur hostilité au nationalisme américain une composante essentielle de l'idéologie britannique au Canada. Profondément traumatisés par leur éviction des terres qu'ils avaient colonisées pour s'y installer, les Loyalistes sont enclins à détester le nationalisme qui a inspiré la révolution et à rationaliser leur nouvelle existence en valorisant, au-delà de toute proportion, leur loyauté à l'Empire britannique et en vouant un culte à ses symboles. L'Empire, la Couronne deviennent leur mythe social, leur légitimation, leur raison d'être comme société. Leur ambition n'est pas de construire une «nation» à l'image de la République voisine mais de démontrer qu'il est possible et préférable de développer un grand ensemble social intégré à l'Empire. Bâtir le Canada, pour eux, c'est étendre la gloire de l'Empire et des ses institutions à l'Amérique du Nord[1].

___

1. Voir David V.J. Bell, ''The Loyalist Tradition in Canada'', *Journal of Canadian Studies,* May 1970, pp. 24 ss.

Il semble bien que les émigrants, venus d'abord surtout des îles britanniques, n'ont pas eu de peine à s'adapter à cette idéologie et ont accepté que le Canada soit conçu d'abord et avant tout comme une partie (originale et particulière sans doute) de l'Empire «sur lequel le soleil ne se couchait pas». Le Canada allait donc se garder de devenir un «melting-pot» à l'américaine dans lequel toutes les ethnies se seraient fondues dans une nationalité unique. La fidélité aux traditions britanniques étant le seul facteur d'unification de l'entité coloniale, il demeurait possible d'affirmer à la fois une identité particulière et la loyauté à l'Empire. C'est là d'ailleurs ce que les Canadiens de langue française ont proclamé constamment. Même les Patriotes, comme on l'a vu précédemment, ne cherchaient pas à se dissocier tout à fait de la Grande-Bretagne et se sont appuyés sur des éléments de droit britannique pour revendiquer la souveraineté du Bas-Canada. Certains Canadiens se sont, à l'occasion, tournés du côté des États-Unis et ont proposé la rupture du lien britannique sous la forme de l'annexion à la République voisine. Mais ce courant n'a jamais dominé le nationalisme canadien-français. Il s'est trouvé aussi des Britanniques comme Lord Durham pour souhaiter l'assimilation des Canadiens français. Mais on s'est vite rendu compte qu'il était impossible, sinon très difficile, de réaliser cette opération et que, de toutes façons, elle n'était nullement nécessaire au maintien de la tradition britannique en Amérique du Nord.

Le Canada qui se constitue en pays en 1867 est donc essentiellement une «non-nation[2]». Même John A. Macdonald, ardent promoteur de la «national policy», s'affirme avant tout comme un sujet britannique[3], ce qui laisse croire que son prétendu nationalisme n'est pas autre chose que la consolida-

---

2. L'expression est de David Bell, *ibid.*
3. Macdonald déclarait en 1891: ''A British subject I was born, a British subject I will die''. Cité par W.L. Morton, *The Canadian Identity,* Toronto, The University of Toronto Press, 1961, p. 64.

tion de l'espace britannique en Amérique du Nord. Les Canadiens anglais de cette époque ne songent pas un seul instant à se donner un hymne national, un drapeau ou quelque autre symbole national, ce qui serait tout naturel s'ils se considéraient comme appartenant à une nation.

Dans ces conditions, le nationalisme des Canadiens français, surtout depuis qu'il est axé sur la survivance d'une culture propre sans plus, n'est guère un obstacle à la construction du nouveau pays. La rébellion de Riel est l'exception: elle doit être punie. Le nationalisme à la Mercier qui s'en suit est, bien sûr, agaçant mais il ne remet pas vraiment en cause les mythes britanniques.

Les Canadiens français semblent donc satisfaits d'affirmer leur survivance et n'offrent pas d'opposition au pouvoir britannique. Ils se contentent volontiers de constituer l'une des diverses nations de l'Empire. Mais contrairement à leurs compatriotes anglophones, ils ne se nourrissent pas émotivement du mythe de la Couronne. Pour eux, l'Empire est un cadre très large, accepté plutôt froidement. Le cadre immédiat, par contre, est celui de ce qu'ils appellent volontiers leur patrie; un cadre plutôt flou qui ne se réduit pas à la seule province de Québec mais qui s'étend à l'ensemble du Canada, même aux États-Unis, partout où se trouvent des populations canadiennes-françaises. Leur émotivité trouve son compte au niveau de cette patrie: en son nom, ils se donnent un hymne national, «Ô Canada», tandis que les Canadiens anglais continuent de chanter «God save the King».

Les deux communautés concevaient donc leurs allégeances de façon fort différente. Mais, pour l'essentiel, elles ne se remettaient pas en cause mutuellement, sauf dans les moments précis où leurs divergences quant à l'appartenance impériale sont apparues comme inconciliables. Quand il s'est agi de payer un prix pour assurer la participation du Canada à l'Empire britannique, la tiédeur des Canadiens français s'est transformée en un mouvement d'opposition qui a pu menacer la cohésion du pays.

Vers la fin du 19e siècle, en particulier, l'impérialisme apparaissait comme un élément essentiel des relations internationales. La fierté d'appartenir à l'Empire britannique avait atteint un sommet et la fidélité des Canadiens de langue anglaise à la Couronne impériale s'était transformée en passion. Dans ces conditions, il devenait inconcevable qu'ils ne considèrent pas les intérêts de l'Empire comme étant les leurs en propre. Si ces intérêts devaient être défendus par la force, il était naturel que tous les jeunes Canadiens s'engagent résolument à porter les armes.

Pour les Canadiens français, il en allait tout autrement. Le cadre britannique ne pouvait être aussi contraignant. Ce cadre était perçu comme une sorte de garantie à leur survivance, à leur intégrité nationale mais jamais comme un substitut de leur nationalisme. Ils accepteront plus volontiers de redéfinir leur appartenance nationale en fonction d'une nouvelle réalité canadienne élargie que de s'engager dans des opérations militaires lointaines au nom de l'Empire britannique. C'est là du moins ce à quoi ils seront conviés par le nationalisme d'Henri Bourassa.

Henri Bourassa et le nationalisme pan-canadien

Bourassa siégeait au Parlement fédéral parmi les libéraux de Wilfrid Laurier quand ce dernier se vit contraint par les pressions de la majorité anglophone de faire voter par le Parlement l'envoi d'un contingent canadien au Transvaal. Les Britanniques avaient demandé l'aide du Canada dans leur effort pour maintenir leur présence en Afrique du Sud. Bourassa eut l'audace de s'écarter de la discipline du parti pour s'opposer énergiquement à la politique du gouvernement. Après avoir abandonné son siège pour y revenir ensuite à titre de député indépendant, il fonda en 1903 la «Ligue nationaliste canadienne» et, en 1904, le journal *Le Nationaliste* pour défendre et diffuser sa conception du Canada et de l'identité canadienne-française.

À l'encontre de Jules-Paul Tardivel, qui avait prôné dans les pages de son journal *La Vérité* un nationalisme canadien-français et un idéal d'indépendance nationale dans le cadre d'une république catholique (un projet demeuré sans écho en raison même du peu d'intérêt des élites cléricales pour un nationalisme politique), Bourassa déclarait: «Notre nationalisme à nous est le nationalisme canadien, fondé sur la dualité des races. La nation que nous voulons voir se développer, c'est la nation canadienne...». Le grand objectif à atteindre est donc pour lui la véritable indépendance du Canada à l'égard de l'Empire. Sans pour cela rompre avec la tradition et les institutions britanniques, le Canada doit viser à son autonomie complète quant à sa représentation internationale, à sa défense et à son commerce extérieur. Le Canada ne doit pas participer, à moins qu'il y aille de son intérêt propre, aux guerres britanniques.

À l'intérieur de ce Canada indépendant, selon Bourassa, la place est large pour les Canadiens français puisque le pays est fondé sur «la dualité des races». Les francophones sont donc des partenaires égaux, ce qui entraîne le respect absolu des droits linguistiques, culturels et religieux des minorités dans toutes les provinces. De plus, l'autonomie provinciale doit être respectée, sans doute en vue de préserver le caractère français et catholique de la province de Québec, mais aussi, ce qui est plus difficile à comprendre, pour raffermir l'indépendance du Canada.

Des journalistes prestigieux se sont joints à Bourassa: Olivar Asselin, Jules Fournier, Omer Héroux, Armand Lavergne. Ce qu'on a appelé alors «le mouvement nationaliste» exerça une très grande fascination, par l'intermédiaire de la forte personnalité du leader, sur une certaine jeunesse, en particulier les étudiants des collèges classiques et les membres d'une association créée en 1903 par les Pères Jésuites, l'Action catholique de la jeunesse canadienne (A.C.J.C.)

Bourassa est considéré surtout comme le grand défenseur des intérêts des Canadiens français en dépit de la tendance pan-canadienne de son mouvement. C'est que le mouvement ne connut aucun succès auprès des anglophones toujours attachés à l'impérialisme et Bourassa fut amené plus d'une fois à s'opposer directement à la domination anglaise. Par exemple, au Congrès eucharistique de 1910, il se couvre de gloire par un discours flamboyant sur la fidélité des Canadiens français à leur langue en même temps qu'à leur religion.

Leader d'un important mouvement, Bourassa se refuse à fonder un parti. Il demeure député fédéral jusqu'en 1908. Il se fait élire aussi à l'Assemblée législative à Québec pour s'opposer à la politique du gouvernement libéral en matière de colonisation et d'exploitation des ressources. Il juge cette politique de concessions aux capitaux étrangers trop anarchique et dangereuse pour la tradition et la stabilité de la société canadienne-française. En 1911, à la tête d'un groupe de nationalistes, il forme une sorte de coalition avec les conservateurs pour faire battre Laurier et s'opposer à son intention de doter le Canada d'une marine au service des intérêts britanniques. C'est là son seul grand succès politique. Les résultats seront pour le moins mitigés.

Le nationalisme de Bourassa ne pouvait connaître de grand succès en raison des contradictions qu'il n'a pas résolues. D'abord, ce mouvement qui s'adressait à l'ensemble du Canada et qui aurait dû, selon sa logique même, rapprocher Canadiens français et Canadiens anglais, ne s'est jamais vraiment orienté vers ces derniers. Aucune grande figure anglophone ne l'a jamais appuyé et Bourassa lui-même semblait peu préoccupé de faire campagne auprès de la population anglophone en dehors du Parlement. Le mouvement est donc demeuré essentiellement canadien-français et la dichotomie Canada-Empire s'est bientôt transformée en un affrontement traditionnel français-anglais.

En second lieu, le programme de la «Ligue nationaliste» était éminemment politique: il visait à des changements que seul le pouvoir politique devait opérer. Mais Bourassa s'est toujours refusé à donner à son mouvement des structures politiques appropriées. Il était contre «l'esprit de parti», il était même opposé au principe de la souveraineté populaire. Donc, non seulement le pouvoir ne lui était pas accessible mais il s'est même privé d'une influence profonde et durable sur le pouvoir comme peuvent en exercer des partis d'opposition.

De plus, le catholicisme de Bourassa, ultramontain, traditionnel, l'empêchait de sortir des ornières du nationalisme canadien-français et de concevoir la nation en termes franchement laïques. Il n'arrivait pas à accepter l'autonomie de l'ordre politique à l'égard de l'Église. On dit même qu'il regretta d'avoir été nationaliste après avoir reçu des admonitions du Pape Pie XI quant aux dangers du nationalisme.

Enfin, il est difficile de réconcilier chez Bourassa sa vision de l'indépendance du Canada avec les thèmes de dualité culturelle (ou «de race» suivant son expression) et d'autonomie des provinces. Le Canada est bel et bien devenu indépendant de la Grande-Bretagne. Le rêve de Bourassa a été réalisé mais pas du tout comme celui-ci l'avait conçu. En effet, plus le Canada a affirmé son indépendance, voire sa prétention d'être devenu une nation, plus la dualité culturelle et l'autonomie des provinces ont été diminuées. C'est au prix de la dualité et de la spécificité du Canada français que l'indépendance a été réalisée. On peut pardonner à Bourassa de ne pas avoir intuitionné cette contradiction en 1903 mais on peut aussi se demander si l'absence d'intérêt des anglophones au mouvement ne provenait pas d'une certaine gêne quant à la dualité culturelle, une gêne qui persiste aujourd'hui.

Il est donc très artificiel de lier la politique de Pierre Elliott Trudeau au rêve d'Henri Bourassa. Car il est bien douteux que celui-ci se serait contenté du bilinguisme de la Loi des langues officielles et du multiculturalisme de la «nation canadienne» tels que proposés par le Parti libéral.

Bourassa aura donc réussi surtout à animer un nationalisme bien canadien-français, celui qui s'est manifesté au moment des deux crises de la conscription de 1917 et de 1942. Quand des militaires torontois faisaient feu sur la foule, lors des émeutes à Québec en 1917, il était difficile d'y voir un affrontement entre l'impérialisme et le canadianisme. Les crises de la conscription sont apparues avant tout comme des affrontements entre francophones et anglophones résolus en fonction du pouvoir majoritaire de ces derniers. L'influence de Bourassa s'étend sans doute bien au-delà de ces crises (notamment par son action journalistique au *Devoir*) mais il est douteux qu'il ait jamais atteint l'ensemble de la population canadienne-française en dehors de ces moments particuliers. Cette population s'est d'ailleurs fort bien accomodée, dans l'ensemble, de la politique des gouvernements libéraux qu'elle élisait régulièrement à Québec jusqu'à 1936.

Libéralisme, industrialisation, centralisation

C'est d'abord dans le sillage de Wilfrid Laurier et de son immense popularité que le Parti libéral s'installa au pouvoir à Québec. Puis, à compter de la conscription de 1917 décrétée par un gouvernement dirigé par un conservateur à Ottawa, les libéraux apparurent, à Québec aussi bien qu'à Ottawa, comme les seuls véritables défenseurs des Canadiens français.

Comme on l'a vu plus haut, le Parti libéral s'était bien purifié de ses tendances radicales, surtout de l'anticléricalisme qui l'avait caractérisé au 19e siècle. Il n'apparaissait plus comme l'adversaire privilégié du clergé québécois. Malgré tout, il n'était pas non plus l'instrument de la hiérarchie catholique et ses programmes n'ont pas toujours eu l'heur de concorder avec ceux du nationalisme canadien-français. Une sorte de libéralisme continuait d'affecter l'élite de ce parti. Un libéralisme qui n'avait rien de doctrinaire, car il se serait attiré les foudres du clergé catholique, mais qui se manifestait dans l'acceptation plutôt passive et pragmatique de la révolution industrielle. C'est entre ce type de libéralisme largement agréé par la population qui en appréciait les retombées concrètes et des égards constants envers les leaders religieux, accompagnés de profession de foi dans les traditions canadiennes-françaises, que les gouvernements de Parent, Gouin et Taschereau ont assez habilement navigué.

Au moment même où Mgr L.-A. Pâquet invitait les Cana-

diens français à «faire rayonner au loin le foyer lumineux de
la religion et de la pensée» plutôt qu'à allumer le feu des usi-
nes», la province de Québec était engagée dans un processus
d'industrialisation, avec l'appui de son gouvernement et le consentement tacite de sa population, qui allait changer tout à fait
son visage social. Déjà, le Québec était considéré comme un
territoire extrêmement attrayant et rentable pour les investissements industriels. D'abondantes ressources naturelles, fores-
tières, minérales, hydrauliques conjuguées à une population
croissante fournissant une main-d'oeuvre à bon marché, la
proximité des grands centres américains, tous ces facteurs ont
contribué à attirer les capitaux de l'extérieur.

Les gouvernements du Québec allaient profiter abondamment
de cette manne en termes de retombées financières et surtout
en termes de progrès économique pour une population que la
terre n'avait jamais vraiment suffi à faire vivre. L'industrialisation du Québec devait stopper la migration des Canadiens
français vers l'Ouest et vers les États-Unis en donnant du travail à plusieurs dans les centres urbains qui se développaient.

La population acceptait donc assez bien cette évolution et la
modernisation des modes de vie qui l'accompagnait. Elle était
encouragée par une grande presse qui propageait une idéologie
relativement progressiste (sans jamais toutefois heurter de front
l'idéologie traditionnelle entretenue par le clergé) et ouvrait ses
pages à la publicité qui stimulait la consommation. Dès 1911,
44,5 pour cent de la population du Québec vivait dans les villes. En 1921, le pourcentage avait dépassé la majorité. La province de Québec était devenue irrémédiablement un territoire
urbain. Un plus grand nombre de Canadiens français gagnaient
leur vie dans des manufactures que dans l'exploitation agricole.
L'influence du libéralisme économique se faisait plus forte sur
eux que celle du nationalisme traditionnel. Mais cette influence
était subie plutôt qu'assimilée. Car les élites continuaient de prêcher une autre doctrine, ce qui eut pour effet d'accentuer le rôle
subordonné des francophones dans la structure industrielle. Les
moyens pour arriver à jouer un rôle moteur dans l'économie
demeuraient peu accessibles aux Canadiens français.

Dans ces conditions, la crise économique de 1929 et des années trente devait produire des effets particulièrement pénibles pour la société canadienne-française puisque ce sont les travailleurs les moins spécialisés qui furent les plus pénalisés. Un affolement s'en suivit tant dans l'ensemble de la population que chez les élites qui interprétèrent la crise comme la conséquence néfaste du libéralisme entretenu par les gouvernements. Ces circonstances ont favorisé la croissance du nationalisme durant cette période et fait apparaître éventuellement la caducité et l'impuissance de l'idéologie traditionnelle.

Le gouvernement fédéral, pour sa part, également animé par la théorie du «laissez-faire», avait aussi encouragé l'industrialisation et laissé les gouvernements provinciaux prendre de l'importance en raison de leur juridiction constitutionnelle sur les ressources naturelles. La crise économique, ajoutée à la lente évolution du Canada vers l'indépendance, allait cependant modifier cet ordre de choses. En 1931, de par le Statut de Westminster, le Canada devenait autonome, ce qui a contribué à développer une nouvelle fierté chez les Canadiens de langue anglaise en même temps qu'un sentiment croissant d'appartenir à une nation nouvelle: le rêve de Bourassa se réalisait lentement. Mais cela ne se faisait pas sans encourager le gouvernement fédéral à se comporter de plus en plus comme un État-nation, comme le maître-d'oeuvre de l'unification et de l'équilibre de la «nation canadienne». D'autant plus que la crise allait nécessiter des interventions plus prononcées du gouvernement central en matières économique et sociale. Déjà en 1927, Ottawa avait mis sur pied un programme de pensions de vieillesse selon lequel il défrayait 50 pour cent des coûts si les provinces voulaient bien s'engager à financer le reste. Le Québec refusait le programme comme une intrusion inacceptable, faisant par là perdre des bénéfices à ses citoyens, cela jusqu'en 1936. Un peu plus tard, le gouvernement fédéral envahit le champ de la radiodiffusion en créant la Société Radio-Canada. Encore une fois, réaction impuissante de Québec. En 1933, la création de la «Cooperative Commonwealth Federation» (C.C.F.), sorte de parti socialiste à l'anglaise, offre un

stimulant pour le gouvernement conservateur à intervenir pour
remédier à la crise. Peu à peu, au cours des années trente,
de nouveaux programmes sont mis sur pied à Ottawa, plusieurs
menaçant une juridiction provinciale qui se contente de protester. C'est la naissance du «Welfare State» ou de l'État-
providence. Le gouvernement central devient interventionniste,
cherche à gouverner «pour le bien-être de tous les Canadiens»
et, ce faisant, envahit les champs de juridiction provinciale.
Pendant ce temps, le Québec affolé s'enlise dans un nationalisme de plus en plus intense mais toujours improductif sur
le plan politique.

Lionel Groulx et la résistance nationaliste

L'abbé Lionel Groulx est devenu, depuis environ 1920, le
nouveau maître à penser des nationalistes canadiens-français.
Bourassa n'a pas perdu son influence. Il demeure directeur du
journal *Le Devoir* jusqu'en 1932. Il retourne à la politique fédérale et siège au Parlement jusqu'en 1935. Groulx lui-même se
dit disciple de Bourassa. Mais c'est un nationalisme étroitement canadien-français que le prêtre-historien élabore et propose avec succès à une nouvelle élite du Québec.

La formule nationaliste de Bourassa avait rencontré des
échecs notoires. Les minorités françaises au Nouveau-
Brunswick, au Manitoba et en Ontario se voyaient refuser
l'exercice de leurs droits les plus élémentaires en matière de
langue, d'éducation, de religion. La «dualité des races» n'était
reconnue nulle part en dehors du Québec. De plus, si le
Canada se détachait graduellement de la Grande-Bretagne, sa
politique demeurait encore axée sur celle de la métropole. Les
Canadiens français avaient été conscrits en 1917. Il n'est donc
pas étonnant que les nationalistes des années vingt aient été
fortement enclins à se replier sur la nation canadienne-française
et sur la terre laurentienne.

Lionel Groulx connaissait déjà la notoriété quand il devenait titulaire de la première chaire d'histoire à l'Université de

Montréal et, plus tard, quand il prenait la direction de la revue de la «Ligue des droits du français», *L'Action française*. C'est dans son enseignement, dans sa revue et dans de multiples conférences qu'il expose sa doctrine.

Même si la revue qu'il dirige durant une dizaine d'années porte le même nom que celle de Charles Maurras en France, Groulx s'est toujours défendu d'être maurrassien. Entre Groulx et Maurras il y a en fait toute la différence entre la droite française et la tradition canadienne-française. Cette dernière est toute empreinte d'une idéologie d'ancien régime mais elle est dépourvue du radicalisme qui caractérise la réaction européenne. Groulx ne pouvait adhérer au «politique d'abord» de Maurras. Il ne s'est jamais senti visé par la condamnation pontificale du mouvement maurrassien et, pour éviter toute ambiguïté, la revue canadienne a même changé de nom pour s'appeler, à compter de 1927, *L'Action canadienne-française*.

La nation est définie par Groulx en termes plutôt étroits. Il est vrai que le mot «race» employé par lui si souvent l'était également par Bourassa et par plusieurs à l'époque pour désigner ce qu'on appellerait aujourd'hui «ethnie» ou «culture»; il n'en demeure pas moins que l'ascendant héréditaire, le «sang des aïeux», est souvent évoqué. Groulx s'oppose fortement aux mariages mixtes (c'est-à-dire entre Anglais et Français) comme étant une source de malheurs, une plaie sociale, ce qui n'est pas loin du racisme pur et simple. Mais malgré tout, bien que la culture française fasse l'objet de son intense dévotion et qu'il ne soit jamais tendre envers «les Anglo-saxons», on ne peut dire que Groulx fait appel à la haine, à la discrimination systématique. Son racisme demeure somme toute assez bénin, plus puéril que dangereux.

Groulx s'est élevé à maintes reprises contre la présence des Juifs dans la province de Québec. Il décrit ces derniers comme des matérialistes sans scrupule, animés par la seule soif du gain monétaire et qui exploitent les Canadiens français. Donc, à n'en point douter, Groulx propage une forme d'antisémitisme, même s'il se refuse à cela formellement en raison de la charité chrétienne! Mais en aucune façon pourrait-on voir en lui un disciple du comte de Gobineau ou un tenant des théories racistes qui avaient cours en Allemagne et en France. Jamais Groulx n'a proposé une politique de violence à l'endroit des Juifs[4].

Le nationalisme de Groulx est donc tout entier axé sur la fidélité à la nation et à la terre des aïeux. Il admet volontiers s'inspirer de Maurice Barrès qui a longuement développé le mythe de l'enracinement. Il n'arrive pas à comprendre comment on peut émigrer sans en subir de profonds avatars. S'il s'intéresse volontiers aux Canadiens français qui se sont installés en dehors des frontières de la province de Québec et même à ceux qui ont émigré aux États-Unis, il n'entretient guère de sympathie pour les immigrants venus d'ailleurs vers le Canada. Pourtant, il ne cesse de rêver d'un «État français». En 1922, croyant voir venir la désintégration de la Confédération canadienne, il songe à un État du Québec indépendant. En 1937, il proclame: «Notre État français, nous l'aurons» mais il se défend aussitôt de promouvoir le séparatisme. N'est-ce pas le caractère étroitement ethnique de son nationalisme qui l'empêche de souhaiter concrètement l'avènement d'un Québec indépendant qui devrait forcément inclure les non-francophones et exclure les Canadiens français de l'extérieur?

En matière économique, le nationalisme de Groulx se présente comme une réaction au libéralisme ambiant et à l'industrialisation. Il est l'application de la doctrine clérico-nationaliste au contexte de la révolution industrielle au Québec. Au gouvernement provincial, à la grande presse qui séduisent la majorité de la population, Groulx et les élites nationalistes opposent leur conservatisme par l'intermédiaire des institutions d'éducation, des associations culturelles et de la presse d'élite. Si la masse de la population adhère plus ou moins passivement au libéralisme économique, il n'est guère d'élites

---

4. Voir à ce sujet l'analyse fort nuancée de Jean-Pierre Gaboury, *Le Nationalisme de Lionel Groulx. Aspects idéologiques*, Ottawa, Éditions de l'Université d'Ottawa, 1970, pp. 27-39.

canadiennes-françaises, hormis quelques hommes d'affaires et quelques marginaux, qui ne soient entraînées dans l'idéologie de résistance à l'industrialisation.

Pour Groulx et ses disciples, c'est l'âme de la nation qui est menacée de s'anémier en présence du matérialisme anglo-saxon qui accompagne l'industrialisation et l'urbanisation. Ils s'opposent donc résolument à l'exploitation des ressources naturelles par les étrangers, c'est-à-dire les Britanniques, Américains, Anglo-canadiens. Ils favorisent la colonisation et l'agriculture et font l'éloge de la vie rurale qui, à leurs yeux, convient aux Canadiens français et correspond à leur vocation providentielle. La crise des années trente est donc perçue comme l'hécatombe de l'industrialisation massive à laquelle seule une politique favorisant l'agriculture et la colonisation peut remédier. On oublie de noter que les agriculteurs ont été aussi frappés par la crise ou, si on le voit, on en attribue la cause aux méfaits de la politique industrielle.

Ce nationalisme est donc bien typique du modèle traditionnel. Il est celui d'un clerc demeuré profondément fidèle à sa mission sacerdotale, donc entièrement dominé par une perspective religieuse. Le nationalisme de Groulx est inséparable de son idéal religieux. Il est une sorte de devoir au même titre que les grands impératifs de la foi catholique.

Probablement en raison même de ce caractère quasi mystique, ce nationalisme apparaît comme une entreprise bloquée sur le plan politique. Il inspire des dénonciations surtout verbales, des résistances mais aucun projet politique vraiment concret. Il ne parvient pas à se définir non plus en fonction d'un territoire donné. Il se refuse en outre à toute évolution économique et à tout pluralisme social. N'est-ce pas suffisant pour le ranger parmi les projets purement idéalistes et irréalisables?

Pourtant ce nationalisme a grandement inspiré des mouvements politiques plutôt tapageurs au cours des années trente et quarante. Est-ce à dire qu'il aurait pu trouver un ancrage politique?

Velléités politiques: l'A.L.N. et le B.P.C.

La crise économique des années trente, avec son cortège de misères et de frustrations, a donné lieu, partout dans le monde, à des agitations sociales de toutes sortes. Le Québec n'a pas fait exception. La crise a brisé l'équilibre fragile qui pouvait exister entre le libéralisme économique ambiant et l'idéologie traditionnelle. L'élite clérico-nationaliste ne pouvait plus tolérer les manoeuvres du gouvernement provincial qui, de son côté, ne pouvait plus s'appuyer sur les bienfaits des retombées économiques associées à sa politique de porte ouverte. C'est le gouvernement qui devait payer pour les méfaits de la crise devant lesquels d'ailleurs, se sentant tout à fait impuissant, il avait tendance à se protéger lui-même et ses clients immédiats de façon plutôt disgracieuse.

L'époque était donc aux programmes de réforme, de renouveau, de restauration ou même de révolution. Dans le cadre du nationalisme canadien-français, il ne pouvait être question que de purification, de retour aux sources ou d'un «programme de restauration sociale», comme celui de l'*École sociale populaire* (E.S.P.), un organisme dirigé par les Pères Jésuites et voué à la propagation de la doctrine sociale de l'Église. Ce programme contenait des éléments plutôt progressistes, d'autres résolument conservateurs. Il s'appuyait sur la critique et sur le rejet du capitalisme comme du socialisme et prônait la justice sociale sur la base du corporatisme, une doctrine fondée sur la participation des corps intermédiaires, professionnels et autres, à la gouverne politique. Il fut lancé en 1933. Un an auparavant, était fondée une association de jeunes nationalistes qui connut beaucoup de succès durant quelques années: les *Jeune-Canada*. Ces jeunes organisent des assemblées pour protester contre les politiques du gouvernement Taschereau et clamer leur nationalisme d'inspiration groulxiste.

C'est un peu dans la jonction de l'idéalisme des *Jeune-Canada* et du «programme de restauration sociale» de l'E.S.P. que naît en 1934 un nouveau parti politique provincial: l'*Action libérale nationale* (A.L.N.). Le parti est formé, comme son

nom l'indique bien, de libéraux désenchantés face au gouvernement et séduits par le nationalisme auquel le gouvernement
ne souscrit pas suffisamment. Le programme de l'A.L.N. s'inspire abondamment de celui de l'E.S.P. Il s'attaque en particulier à la corruption du régime libéral et à sa soi-disant col-
lusion avec les «trusts» ou grandes entreprises. Il propose de
rationaliser l'exploitation des ressources hydro-électriques et
d'envisager l'étatisation des compagnies d'électricité. Il comprend aussi tout un train de réformes sociales visant à corriger les injustices et à remédier aux misères les plus criantes.
Le parti est dirigé par Paul Gouin, le fils de l'ancien Premier
ministre Lomer Gouin et le petit-fils d'Honoré Mercier.

L'A.L.N. est nettement plus populaire auprès de l'électorat
(comme le démontreront les résultats de l'élection de 1935)
que le Parti conservateur dirigé depuis 1933 par Maurice
Duplessis. Mais celui-ci, aussi habile politique que Gouin est
idéaliste, finira par récupérer presque entièrement le mouvement nationaliste à ses fins partisanes. Alliance entre conservateurs et A.L.N. juste avant l'élection de 1935, création d'un
nouveau parti, l'Union nationale (U.N.), dont Duplessis devient
le chef. Rupture avec Gouin. Performance remarquable du chef
d'une forte opposition à l'Assemblée, en particulier au comité
des comptes publics. Victoire retentissante de l'U.N. à l'élection d'août 1936. Les membres les plus nationalistes et les plus
progressistes de l'A.L.N. sont tenus à l'écart du Cabinet, en
particulier le Dr Philippe Hamel qui s'est fait l'avocat de la
nationalisation de l'électricité. On crie à la trahison. Rien n'y
fait. Le mouvement nationaliste de l'A.L.N. est complètement
résorbé dans un nouveau parti d'apparence plus nationaliste que
les vieux partis mais qui leur ressemble à s'y tromper. Les
orientations de l'U.N. étant toutefois plus conservatrices, plus
axées sur la protection des agriculteurs que celles des libéraux,
le clergé s'en trouve satisfait.

Cette expérience montre bien comment un mouvement nationaliste peut être récupéré par un habile politicien, comme cela
s'est produit en Italie et en Allemagne au 19e siècle et, de
façon plus tragique, au 20e. Elle illustre bien aussi l'apoli-

tisme congénital du nationalisme canadien-français et des élites qui le propageaient. Pas plus que Bourassa et Groulx, les
leaders nationalistes n'ont su atterrir dans la vie politique. La
politique demeurait la chasse-gardée des politiciens[5].

Comme si la leçon n'avait pas été apprise, la même erreur
fut répétée quelques années plus tard. En 1939, les libéraux
reprenaient le pouvoir à Québec, sur les ailes des élus fédéraux qui se faisaient les garants de la non-conscription des
Canadiens français dans la guerre contre l'Allemagne, en vertu
d'une promesse solennelle du Premier ministre Mackenzie
King. En 1942, ce dernier demandait à être démis de sa promesse par un plébiscite national. Il n'en fallait pas davantage
pour réveiller l'ardeur nationaliste. Comme en 1917, des Canadiens français allaient être forcés de mourir pour la défense
de l'Angleterre. Le mouvement organisé pour le NON au plébiscite connut un vif succès; une grande victoire nationaliste,
le NON l'emportait à 70 pour cent.

Dans le sillage de cette organisation et de ce succès sur un
thème bien précis, le parti du *Bloc populaire canadien* (B.P.C.)
était fondé: un parti qui s'appuyait sur une rénovation nationale semblable à celle du programme de l'A.L.N. Le Bloc présentait un programme très progressiste pour l'époque, qui
annonçait déjà, à certains égards, les réformes de la Révolution tranquille et le dynamisme du Parti québécois. Il aspirait
à s'allier les forces vives de la nation canadienne-française.
Aux élections provinciales de 1944 et aux élections fédérales
de 1945, le mouvement aboutit à un échec cuisant: quatre
députés à l'Assemblée, deux à la Chambre des Communes.

Plusieurs raisons ont été apportées pour expliquer cet
échec[6]. D'abord, le nouveau parti commit l'erreur et eut la
témérité d'ouvrir le combat sur deux fronts à la fois, au fédé-

---

5. André-J. Bélanger a démontré de façon magistrale l'absence d'ouverture des
élites canadiennes-françaises au monde politique, à cette époque particulière. Voir
L'apolitisme des idéologies québécoises, Québec, Les Presses de l'Université Laval,
1974.

6. Voir l'ouvrage remarquable de Paul-André Comeau, *Le Bloc populaire*, Montréal, Québec / Amérique, 1982.

ral et au provincial. C'était beaucoup trop demander à un jeune mouvement encore mal organisé, mal financé. Les nationalistes ont toujours reproché aux partis provinciaux d'être des répliques des partis fédéraux. Le Bloc tombait dans le même panneau. Pour avoir voulu satisfaire à la fois les nationalistes pancanadiens à la Bourassa et les disciples de Groulx, il s'écartelait entre deux niveaux dans cette ambiguïté politique bien typique du nationalisme canadien-français. Combien plus habile, encore une fois, fut Duplessis qui, à la tête d'un parti purement québécois, pouvait se proclamer le champion de l'autonomie provinciale et de la véritable «union nationale».

Un autre facteur d'explication, le même que pour l'A.L.N., réside dans l'idéalisme des leaders nationalistes, leur difficulté sinon leur inaptitude à saisir la dimension politique, à s'inscrire résolument sur le «plancher des vaches» de la politique. André Laurendeau, chef provincial du Bloc, n'était guère mieux préparé que Paul Gouin à assumer ses fonctions.

En somme, comme dans tous les cas précédents, on assiste à l'incapacité du nationalisme canadien-français de se transformer en véritable mouvement politique. Ce nationalisme de minoritaires, entretenu par des clercs, axé essentiellement sur une survivance d'ordre culturel, s'avérait incapable de faire face aux réalités économiques et sociales du vingtième siècle. Après l'échec du Bloc populaire, coincé, comme jadis le mouvement patriote, entre ses velléités progressistes et le conservatisme canadien-français, la contradiction fondamentale du nationalisme traditionnel éclatera enfin sous la pression d'une société qui ne pourra plus se permettre de ne pas assumer sa modernité.

CHAPITRE 6

Structures anciennes et horizons nouveaux

Encore une fois, le nationalisme allait mourir. La période de l'après-guerre au Québec fut caractérisée par l'euphorie d'une prospérité nouvelle et par le désenchantement à l'égard du nationalisme traditionnel. La population canadienne-française a été séduite plus que jamais par les valeurs de la modernisation : bien-être, confort matériel, loisirs commercialisés, consommation élevée, progrès technologique. En raison de l'écrasement de la France et de son isolement au cours de la guerre, l'influence française était considérablement diminuée. Les influences américaine et anglo-canadienne, par contre, ont augmenté considérablement. Dans cette nouvelle atmosphère, le message nationaliste avait perdu son sens et son pouvoir d'attraction.

Malgré tout, la structure institutionnelle, animée depuis cent ans par le nationalisme canadien-français, demeurait intacte. Le gouvernement Duplessis rendait hommage à ce nationalisme et prenait bien soin de ne rien déranger tout en poursuivant ses intérêts proprement politiques au moyen d'un populisme rentable. Voilà donc une période (1945-1960) de grande stabilité quant aux cadres social et politique.

Pourtant, c'est aussi une période d'effervescence sans précédent si l'on tient compte du bouillonnement des idées, des projets, des volontés de réforme exprimés par une élite intellectuelle qui se manifeste de plus en plus. Deux grands courants de pensée font le siège de l'ordre établi et préparent déjà la Révolution tranquille à venir : une sorte de libéralisme teinté de social-démocratie et accompagné d'un antinationalisme virulent ; un mouvement néo-nationaliste qui, tout en faisant aussi le procès du nationalisme traditionnel, annonce une nouvelle conception de l'identité des Canadiens français du Québec.

Enfin, cette période est aussi marquée par une mutation profonde et rapide des conditions matérielles de la vie sociale des Canadiens français, Cette mutation irrésistible appelle aussi avec force les changements de la décennie qui va suivre.

Au cours de la même période, le nationalisme canadien-français est donc à la fois maintenu, récupéré, évacué, remis en question et déstructuré. Cinq processus qu'il convient maintenant d'examiner.

Permanence du vieux nationalisme

La myopie des élites traditionnelles quant à l'industrialisation et au changement social apparaissait déjà comme une aberration majeure au cours de la période précédente. Après la Seconde Guerre mondiale, elle existait encore chez un certain nombre de personnes chargées de responsabilités importantes dans la société canadienne-française. Elle devait être dénoncée plus que jamais, même à l'intérieur de l'Église qui exerçait toujours le même contrôle. Mais cela n'a pas affecté visiblement les orientations majeures des institutions en place.

De 1945 à 1960, au moment même où l'édifice clérical du Québec est sérieusement remis en question, l'Église demeure omniprésente et continue d'exercer son leadership auprès de la nation canadienne-française. La quasi totalité des institutions d'enseignement est encore entre les mains du clergé et des communautés religieuses. Le Département de l'instruction publique est contrôlé par les évêques. Les collèges classiques enseignent toujours la même doctrine. Tout le domaine de la sécurité sociale est aussi entre les mains de l'Église. La présence cléricale s'étend jusqu'aux mouvements coopératif et syndical, là où elle doit tout de même diminuer au cours de la période.

Il se trouve toujours des clercs pour prêcher que la langue est gardienne de la foi, pour encourager le retour à la terre, la colonisation, la fidélité aux valeurs ancestrales. On dit encore avec sérieux que la vocation des Canadiens français est essentiellement rurale. De moins en moins de personnes écoutent le message; il n'en est pas moins transmis. Lionel Groulx n'exerce plus la même influence qu'au cours des années trente mais il est toujours présent. On enseigne ses cours d'histoire dans les collèges et dans les écoles. Le nationalisme canadien-français est bien en vie.

Tous les traits de ce type de nationalisme sont encore bien identifiables dans le Québec d'après-guerre. D'abord et avant tout, le conservatisme axé sur la «survivance», le maintien des traditions. Des clercs et des laïcs s'emploient toujours à combattre tous les changements qui menacent les institutions d'ancien régime. Les «héros» du régime français continuent d'être honorés, célébrés et présentés comme des modèles à la jeunesse.

L'apolitisme du nationalisme canadien-français, après l'effondrement du Bloc populaire, est plus patent que jamais. Le Premier ministre du Québec, Maurice Duplessis, se présente sans doute comme un grand défenseur des droits de son peuple. Mais, comme on le verra plus loin, il y a là plus de rhétorique que de réalité. Le nationalisme traditionnel se retranche plutôt dans les institutions contrôlées par le clergé et son messianisme s'étend à toutes les minorités françaises d'Amérique. L'essentiel est toujours de préserver la culture et le cadre paroissial est privilégié à cette fin. Il faut noter aussi que le parti politique au pouvoir, l'Union nationale, n'a jamais été reconnu comme le porte-étendard officiel du nationalisme canadien-français. Même si ce parti n'est pas fortement contesté par l'élite traditionnelle, il a parfois fait l'objet de ses critiques et souvent de ses réticences.

En conséquence, le nationalisme canadien-français ne portait pas sur un territoire défini. Il exaltait sans doute la terre des ancêtres et le Saint-Laurent mais cet espace territorial se présentait comme une sorte de mystique, jamais dans sa réalité concrète et juridique.

La nation canadienne-française est donc envisagée comme une réalité ethnique. Sans doute on ne parle plus de race, on a appris à prendre ses distances quant à tout racisme. Les méfaits du nazisme sont maintenant bien connus et réprouvés au Canada français comme ailleurs. Mais il n'est pas question de proposer une politique d'immigration ou d'inviter les immigrants à s'intégrer à la nation canadienne-française. À l'exception de quelques Irlandais, aucun groupe ethnique n'est accueilli à l'intérieur de la nation. Même des francophones se voient forcés de se joindre à la communauté anglophone du Québec, surtout s'ils ne sont pas catholiques.

Les élites nationalistes ne s'intéressent guère plus à la réalité économique qu'elles ne le faisaient avant la Deuxième Guerre mondiale. Le Québec est pourtant engagé dans une prospérité toute nouvelle en raison de progrès économiques fulgurants. La classe ouvrière devient de plus en plus nombreuse et conscientisée en raison d'une organisation syndicale croissante. Mais, à part quelques personnes, comme Esdras Minville et François-Albert Angers de l'École des Hautes études commerciales de Montréal, une institution qui cherche d'ailleurs à demeurer en retrait par rapport aux autres écoles d'administration en Amérique du Nord, les nationalistes traditionnels se ferment les yeux sur les questions économiques et se réfugient dans une sorte de faux spiritualisme.

On ne s'intéresse pas davantage à la vie internationale. Le Canada était pourtant devenu un acteur important dans le système mondial, une «puissance moyenne». Les possibilités d'échanges internationaux apparaissaient plus manifestes. Les Canadiens français voyageaient davantage. Pourtant la nation canadienne-française était définie par ses élites comme une entité isolée qui devait plutôt se défendre contre les influences de l'extérieur que s'ouvrir au monde. Seuls les territoires de mission, la Rome pontificale et la France catholique (une certaine gauche catholique devant encore être exclue) étaient considérés comme des lieux d'échange acceptables.

Enfin, en conséquence de ce qui précède, il était absolument inconcevable d'opérer quelque distinction entre la nation canadienne-française et son catholicisme. Des catholiques avaient beau faire valoir l'universalisme de leur religion et des Canadiens français s'affirmer tels tout en rejetant le catholicisme, les leaders nationalistes traditionnels continuaient de proclamer le caractère essentiellement religieux de leur mouvement.

Voilà donc le message officiel toujours transmis par des élites encore bien en place dans la société canadienne-française jusqu'au début des années soixante. Bien sûr, de moins en moins de personnes acceptaient ce message et plusieurs s'employaient à le contester mais il était tout de même répété comme une sorte de rituel; car il ne parvenait plus à animer autre chose que des groupuscules. Par un concours de circonstances assez étrange, c'est de ce nationalisme que se sont inspirés les premiers partisans de la souveraineté québécoise. L'Alliance laurentienne fut fondée en 1957 pour promouvoir la création d'un État français, catholique, de type corporatiste sur le modèle du Portugal de Salazar. Comme pour bien montrer comment il était difficile de donner une véritable orientation politique au nationalisme canadien-français, le mouvement indépendantiste ne devait prendre de l'ampleur qu'au moment où il fut récupéré par le Rassemblement pour l'indépendance nationale (R.I.N.), inspiré par une tout autre forme de nationalisme. L'Alliance laurentienne, comme telle, est toujours demeurée quantité absolument négligeable sur le plan politique. L'univers politique de cette époque est presque entièrement occupée par l'Union nationale de Maurice Duplessis.

Le nationalisme de Duplessis

On a souvent caractérisé celui qui fut le Premier ministre du Québec de 1944 à 1959 comme un nationaliste. Il l'était sans doute dans une certaine mesure mais ce n'était pas là sûrement le trait dominant de sa personnalité, encore moins le trait dominant de son gouvernement. Je dirais plutôt que ce long règne a été caractérisé par un peu de nationalisme mais beaucoup d'habileté politique et un contexte de prospérité tout à fait exceptionnel. Ce qui a tenu Maurice Duplessis et son parti au pouvoir, c'est avant tout une sorte de populisme lié à une grande astuce politique, celle qui avait permis à l'Union nationale d'absorber l'Action libérale nationale et de recueillir, à toutes fins pratiques, ce qui restait du mouvement du Bloc populaire en 1948. C'était aussi, et on a eu trop tendance à l'oublier, la grande prospérité économique dont jouissaient les Canadiens français aux moments des victoires électorales de l'Union nationale, soit en 1948, en 1952 et en 1956. La population du Québec s'est trouvée en quelque sorte «dépolitisée» durant cette période, enivrée qu'elle était par un accroissement sans précédent de son bien-être matériel. Pourquoi aurait-elle voulu changer de gouvernement? Tout allait si bien. Sans doute, le Québec de cette époque fut le théâtre de conflits majeurs au cours desquels le gouvernement provincial apparaissait hostile à la classe ouvrière. La grève d'Asbestos de 1949 coûta des votes à l'Union nationale. Mais l'ensemble des citoyens n'en n'était pas touché et le niveau de vie s'améliorait considérablement.

Quant au nationalisme de Duplessis et à sa politique tant proclamée de l'autonomie provinciale, il ne semble pas qu'ils eurent une influence majeure et déterminante sur l'électorat de cette époque[1]. On pourrait même aller jusqu'à dire que c'est en raison d'une politique silencieuse d'ouverture aux capitaux américains et de complicité avec les milieux financiers anglo-canadiens que l'Union nationale put à la fois garnir sa caisse électorale et contribuer à l'expansion de l'économie québécoise, au prix sans doute du contrôle des Canadiens français sur leur

1. Voir l'analyse convaincante de Kenneth McRoberts et Date Postgate, *Québec: Social Change and Political Crisis*, Toronto, McClelland and Stewart, 1980, pp. 60-93.

économie. Il y avait donc quelque chose de contradictoire dans ce gouvernement qui défendait tout haut les vertus de la vie rurale (tout en élaborant des politiques favorables aux agriculteurs) et encourageait en fait l'industrialisation et l'urbanisation massive; qui prônait l'autonomie provinciale et laissait les Américains exploiter les ressources naturelles du Québec à bon prix. Cette contradiction était peut-être même confusément perçue et entérinée par une population qu'on avait habituée à chanter les traditions ancestrales tout en vivant quotidiennement à la moderne.

Mais l'autonomie provinciale était tout de même plus qu'un refrain électoral. Elle était une réaction toute canadienne-française à un autre nationalisme qui se développait peu à peu. Comme on l'a vu au chapitre précédent, l'État-Providence canadien était né durant les années trente et ne pouvait que chercher sa légitimation en se donnant une mission nouvelle auprès de l'ensemble de la population canadienne. La Seconde Guerre mondiale avait accentué le processus de centralisation pour les besoins de défense. À la faveur de la reconstruction d'après-guerre et selon la logique propre à un État-Providence en expansion, le gouvernement fédéral s'affirmait désormais comme un gouvernement national moderne.

Déjà le Rapport Rowell-Sirois de 1940 invitait le gouvernement central à prendre des responsabilités accrues en matière de sécurité sociale. Le gouvernement libéral d'Adélard Godbout au Québec avait accepté un amendement constitutionnel autorisant Ottawa à mettre sur pied un programme d'assurance-chômage. Il avait encore accepté, de concert avec les autres provinces, d'abandonner sa juridiction sur l'impôt direct. Ottawa proposait maintenant, après la guerre, de prolonger ces ententes et cherchait à pousser sa juridiction plus loin en matière de culture à la faveur d'une autre commission d'enquête (Commission Massey).

Jamais auparavant un tel effort avait été fait pour homogénéiser l'ensemble de la société canadienne. Une administration publique moderne rassemblant les meilleurs talents du pays entendait rationaliser la gestion des affaires à Ottawa et proposer une nouvelle conception de la nationalité canadienne. Le Canada était devenu pour eux un État-nation. Dans ces conditions, la nation canadienne-française allait inévitablement se sentir menacée. Elle était en fait d'autant plus menacée qu'elle ne s'appuyait vraiment sur aucune structure politique.

Le gouvernement de la Province de Québec appartenait à des Canadiens français. Mais c'était une sorte de coquille vide. Le gouvernement, encore imbu des principes du plus pur laissez-faire, ne contrôlait ni l'économie de la province, qu'il laissait entre les mains des financiers et entrepreneurs anglophones, ni la culture et l'éducation qui demeuraient entre les mains de l'Église, ni les affaires sociales qui étaient gérées par des communautés religieuses. Il n'avait au surplus aucune politique concernant l'immigration, animé qu'il était par une conception ethnique de la nation et une sorte de xénophobie. Même lorsqu'il était pressé d'agir pour contrer les invasions outaouaises dans les juridictions provinciales, Duplessis s'en remettait à l'affirmation des traditions et à son souci de conserver un bon équilibre budgétaire.

Il est vrai que le nationalisme de Duplessis (ou peut-être son seul instinct politique qui lui faisait apprécier une certaine rentabilité du nationalisme auprès des élites) l'amenait à dénoncer les grandes manoeuvres tentaculaires d'Ottawa. Mais il se contentait le plus souvent d'offrir une résistance toute passive et de se réfugier dans les traditions canadiennes-françaises.

En un seul moment, il eut le courage de poser un geste positif dans le domaine vital des impôts. Poussé par les Chambres de commerce et un certain courant nationaliste nouvelle manière encore confus mais plutôt déterminé, il en vint à décréter unilatéralement un impôt provincial sur le revenu et à faire reculer éventuellement le gouvernement fédéral qui consentit à la déductibilité.

Il fut aussi pressé de mettre sur pied une Commission d'enquête sur les problèmes constitutionnels (1953) pour réagir à la Commission fédérale du même type. Mais quand le rapport de cette Commission fut déposé (Rapport Tremblay) en 1956, Duplessis se garda bien d'assurer sa diffusion. On s'est même demandé s'il avait seulement pris la peine d'examiner les audacieuses recommandations de la Commission.

Tout compte fait, le nationalisme de Duplessis ne pèse donc pas très lourd. Celui qui avait fait adopter un drapeau pour le Québec (encore sous pression) n'est guère allé plus loin que de dire non aux mesures progressistes d'Ottawa et de proclamer tous azimuts qu'il était dévoué à la défense de *nos* traditions ancestrales, de *notre* agriculture et de «*notre* butin».

Une nouvelle génération antinationaliste

C'est à l'encontre du conservatisme de ce gouvernement et du nationalisme traditionnel des élites sociales que va se dresser une nouvelle génération d'intellectuels frappés par les contradictions flagrantes entretenues par le milieu. D'une part, un nationalisme traditionnel riche de contenu mais incapable de se donner quelque assise politique, dépassé par l'évolution sociale et en voie de perdre son influence auprès de la population, même chez les instruits. D'autre part, un gouvernement populiste et populaire, affichant un nationalisme vide de contenu et réfractaire à toute intervention importante dans la trame de la société. Donc, contradiction entre les institutions politiques et les institutions sociales résorbée par un laissez-faire mutuel. Contradiction surtout entre les besoins économiques, sociaux et culturels d'une société en mutation et le message des élites politiques et sociales.

La nouvelle génération s'est employée à proposer l'établissement de liens structurels entre les ordres politique et socio-économique en même temps qu'une articulation des politiques aux besoins nouveaux. Cela entraînait inévitablement l'évacuation la plus rapide possible de l'idéologie nationaliste traditionnelle qui encadrait la société canadienne-française depuis si longtemps. Le type d'idéologie qu'on devait lui substituer n'apparaissait pas encore très clairement. Pour certains, le libéralisme socio-démocrate allait signifier la mort du nationalisme. Pour d'autres, c'est une nouvelle forme de nationalisme qui accompagnerait les réformes souhaitées[2]. Cette polarisation des orientations n'a pas été très manifeste avant la Révolution tranquille. L'opposition à l'ancien régime obnubilait en quelque sorte ces différences. Il faut en tenir compte toutefois dans l'analyse en raison des divergences profondes qui vont se manifester au cours de la période suivante.

La tendance antinationaliste n'était pas vraiment nouvelle. À d'autres moments dans l'histoire canadienne-française, il s'était trouvé des personnes pour dénoncer le caractère aliénant du nationalisme traditionnel. Mais jamais cette tendance n'avait constitué un mouvement important. La Seconde Guerre mondiale a favorisé l'éclosion d'un tel mouvement. En effet, au moment même où le nationalisme canadien-français se manifestait fortement au Québec avec la crise de la conscription et la formation du Bloc populaire, l'offensive alliée contre les puissances de l'Axe signifiait pour le monde l'écrasement d'un nationalisme hypertrophié. Cette signification n'apparut pas aux Canadiens français avant la fin du conflit. De façon particulière, les quelques jeunes intellectuels qui ont pu voyager en Europe après la guerre ont fait la découverte des ravages causés par un facisme qu'on arrivait pas à dissocier du nationalisme. À cette même époque, on assistait à la création de l'Organisation des Nations unies; les espoirs étaient plus grands que jamais d'un monde sans frontières. Dans l'euphorie d'un nouvel esprit internationaliste, le nationalisme apparaissait tout à fait dépassé, associé aux tragédies dont on se relevait à peine.

Même à l'intérieur de la structure institutionnelle contrôlée par l'Église, le nationalisme était remis en cause. Une association en particulier, la Jeunesse étudiante catholique (J.E.C.), a été considérée durant les années quarante et cinquante, comme l'enfant terrible du milieu ecclésial. Elle se départageait tout à fait des organisations du genre par une insistance

---

2. Voir Michael Behiels, *Prelude to Quebec's Quiet Revolution*, Montreal, McGill-Queen's University Press, 1985. L'auteur analyse de façon fort intéressante ces deux orientations mais il a trop tendance, à mon avis, à les opposer l'une à l'autre.

nouvelle sur les responsabilités des laïcs dans l'action catholique et son refus de suivre les consignes du nationalisme traditionnel. Plusieurs étudiants de cette époque ont été fortement influencés par les positions progressistes de ce mouvement.

La J.E.C. est une illustration parmi d'autres d'un courant d'ouverture au monde qui s'est manifesté dans le catholicisme canadien-français. Le lien traditionnel avec la France catholique est devenu, progressivement, l'occasion d'un élargissement des horizons. L'influence de la droite française est demeurée très forte au Québec jusqu'en 1960, mais, à compter de la fin de la guerre, une certaine gauche catholique, en particulier celle qui s'est constituée durant les années trente autour d'Emmanuel Mounier et de la revue *Esprit*, a influé considérablement sur la pensée de bon nombre de jeunes Canadiens français. Dans son opposition farouche au fascisme et à la droite française, cette gauche avait fait le procès du nationalisme. La nouvelle génération du Québec s'est engagée spontanément dans la même voie.

C'est dans ce climat d'ouverture au monde, de libération sociale et de rejet du nationalisme que fut fondée en 1950 la revue *Cité libre* par un ancien dirigeant de la J.E.C., Gérard Pelletier, et quelques autres dont Pierre Elliott Trudeau. L'influence de cette revue a été beaucoup exagérée. Elle n'a probablement jamais été lue avant 1960 par plus de mille personnes. Mais ses rédacteurs ont eu le mérite d'exprimer des idées qui circulaient dans un milieu plus large et qui traduisaient une prise de conscience nouvelle.

Cette prise de conscience se manifestait aussi dans certains secteurs du monde de l'éducation, en particulier à la Faculté des sciences sociales de l'Université Laval où toute une école de pensée se développait dans le cadre d'une critique sévère de la société canadienne-française traditionnelle et d'une ouverture nouvelle à l'ensemble du Canada.

À la même époque environ, la télévision fait son apparition. La Société Radio-Canada en exerce le monopole jusqu'en 1960. Ce sera là un canal d'expression privilégié pour la nouvelle intelligentsia canadienne-française : un organisme culturel très puissant échappait au contrôle de l'Église et à celui du gouvernement provincial. Devant un auditoire captivé par la magie du petit écran, surtout durant les premières années, des idées de toutes sortes pouvaient être exprimées, remettant en cause, le plus souvent, les principes du nationalisme traditionnel.

Des idées nouvelles et réformistes faisaient aussi leur chemin au sein des organisations syndicales qui attiraient un nombre croissant de travailleurs et, par là, jouaient un rôle de plus en plus important surtout à l'occasion de conflits majeurs, comme la grève de l'amiante en 1949. La Confédération des travailleurs catholiques du Canada (C.T.C.C.) et les syndicats affiliés aux centrales américaines devinrent le lieu d'une remise en question assez radicale d'un nationalisme spiritualiste et sans aucune prise sur le monde du travail.

Enfin, en plus d'un certain nombre d'organismes comme l'Institut canadien des affaires publiques (I.C.A.P.) où se retrouvaient, à l'occasion de conférences annuelles, écrivains et journalistes réformistes, il faut mentionner les partis politiques d'opposition. Le Parti social-démocrate (P.S.D.), affilié au C.C.F., traduisait en programme politique les idées les plus à gauche exprimées par l'intelligentsia sans jamais rejoindre vraiment la population canadienne-française. Le Parti libéral, à mesure qu'il se purifiait de ses traditions purement opportunistes sous l'égide de Georges-Émile Lapalme et de la Fédération libérale du Québec, a pu devenir un autre point de rassemblement des critiques du nationalisme traditionnel.

Tous les éléments de cette idéologie énoncés plus haut étaient passés au crible. On reprochait au nationalisme d'avoir étouffé les libertés, d'avoir enfermé les Canadiens français dans une structure d'ancien régime où l'individu était sacrifié aux impératifs de la survivance. On lui reprochait d'avoir maintenu des structures sociales et culturelles complètement dépassées par rapport à l'évolution contemporaine, en particulier un système d'éducation conçu pour un autre monde.

Le nationalisme était aussi condamné pour avoir aliéné les Canadiens français de leurs responsabilités politiques, pour avoir entretenu une conception du rôle de l'État absolument

déphasée par rapport aux besoins sociaux réels. Le gouvernement provincial de Duplessis était considéré comme l'exemple typique d'un pouvoir politique à la fois répressif et enfermé
dans l'inaction. Le gouvernement fédéral, qui était l'objet de
la méfiance des nationalistes, pouvait apparaître comme la source
des politiques les plus progressistes: programmes sociaux et
culturels dont bénéficiaient largement les Canadiens français.

On ne pardonnait pas non plus à ce nationalisme d'avoir
presque totalement ignoré la dimension économique de la vie
humaine. Les syndicalistes en particulier ne pouvaient que
vomir cette idéologie éthérée, axée sur un idéal de vie rurale,
sans aucun égard aux conditions dans lesquelles se trouvait la
masse des travailleurs.

Le nationalisme avait aussi entretenu une conception mono-
lithique et unanimiste de la société. Les carcans ethnique et
religieux avaient étouffé la société canadienne-française. Il fallait désormais s'ouvrir résolument au pluralisme sous peine de
s'asphyxier. Une société moderne ne pouvait être autre chose
que laïque et ses institutions sociales et culturelles devaient être
non confessionnelles. Le nationalisme était confondu avec le
cléricalisme de ses dirigeants. Il était confondu aussi avec une
certaine fermeture aux autres réalités ethniques entretenues par
les élites traditionnelles.

Enfin, à cette époque d'internationalisme et de voyages plus
faciles et plus fréquents, on découvrait littéralement le monde.
L'Europe, les États-Unis, le Canada anglais en particulier, mais
aussi d'autres parties du globe. Le Canada français apparaissait bien petit, avec ses structures anciennes, en regard des
grandes civilisations du monde et face à une vie internationale mouvementée. Comment le nationalisme avait-il pu nous
tenir à l'écart aussi longtemps, nous empêcher de nous former une véritable conscience internationale?

Pourtant, cette époque était aussi en train de devenir celle
de la désillusion quant à l'organisation internationale et celle
de la résurgence du nationalisme. Les souverainetés devenaient
plus vives et plus agressives au lieu de s'atténuer. La décolonisation donnait lieu à des mouvements nationalistes, à de nou-

velles identités nationales. Cette conjoncture encourageait ceux qui, au Québec, croyaient pouvoir évacuer une tradition sans renoncer au nationalisme.

La critique néo-nationaliste

Déjà, dans le mouvement nationaliste des années trente, on avait pu percevoir des notes discordantes par rapport à la doctrine officielle. Certaines idées du programme de l'A.L.N., d'autres exprimées dans une revue comme *La Relève* pouvaient laisser entendre que la critique du nationalisme se ferait de l'intérieur. Le programme politique du *Bloc populaire* offrait d'ailleurs un changement réel par rapport au nationalisme traditionnel. Mais il faudra attendre l'après-guerre pour voir apparaître un discours nationaliste si différent de l'ancien et si critique par rapport à lui qu'on lui accolera plus tard l'étiquette de «néo-nationaliste».

Vers la fin des années quarante, des institutions privilégiées du nationalisme traditionnel sont pour ainsi dire investies par de nouvelles écoles de pensée, en particulier *Le Devoir*, *L'Action nationale* et l'Institut d'Histoire de l'Université de Montréal. *Le Devoir*, fondé par Henri Bourassa, avait toujours été l'organe par excellence du nationalisme traditionnel sous l'égide du clergé. En 1947, Gérard Filion est appelé à prendre la direction du journal auquel s'adjoint bientôt André Laurendeau qui en deviendra éventuellement rédacteur en chef. Les deux hommes ont fait leurs classes nationalistes, l'un à l'Union catholique des cultivateurs, l'autre aux Jeune-Canada et à la tête de l'aile provinciale du Bloc populaire. Mais tous les deux sont devenus plutôt désillusionnés quant à la doctrine officielle des anciennes élites. Ils vont s'opposer au conservatisme, à l'idéalisme, à l'apolitisme, au cléricalisme et au provincialisme de l'idéologie traditionnelle avec la même vigueur que les rédacteurs de *Cité libre* et les autres antinationalistes de leur génération. Ils feront également une lutte sans merci au régime Duplessis. Mais ils ne renonceront pas au nationalisme. Ils défendront les droits linguistiques et culturels des Canadiens français, l'autonomie provinciale en même temps que la cause des travailleurs, le pluralisme et l'ouverture au monde.

L'Action nationale est la revue publiée par la Ligue d'action nationale, une organisation animée par le nationalisme le plus orthodoxe. *L'Action nationale* a pris la relève de *L'Action française* de Lionel Groulx. En 1948, la revue est encore dominée par les traditionnalistes mais André Laurendeau, qui en assume alors la direction, ouvre la porte à des rédacteurs plus jeunes qui vont bientôt donner un ton nouveau à cette publication. On parle de crise du nationalisme. On remet en question son image traditionnelle et on cherche des voies nouvelles. Laurendeau s'intéresse à la classe ouvrière, le «quatrième État» selon ses termes, et traite de son aliénation entre les mains d'un patronat anglophone. Jean-Marc Léger est probablement celui qui exprime de la façon la plus articulée et la plus avancée la thèse du néo-nationalisme. Dès 1948, il remet en cause ce qu'il appelle la conception «petite bourgeoise» du nationalisme qui ignore les conditions socio-économiques de la classe ouvrière. Plus tard, il en vient à parler de nationalisme de gauche et rappelle les origines radicales du mouvement au moment de la Révolution française. Laurendeau et Léger ont été tous deux profondément influencés par le catholicisme social français mais, contrairement au groupe de *Cité libre*, cela ne les a pas amenés à rejeter le nationalisme comme tel.

Autre institution envahie par le néo-nationalisme, l'Institut d'Histoire de l'Université de Montréal avait été fondé par l'abbé Lionel Groulx et lui avait servi de tribune privilégiée pour communiquer sa pensée aux étudiants canadiens-français. Certains de ces derniers, cependant, à la faveur de l'ébullition intellectuelle de l'après-guerre, firent preuve d'assez d'esprit critique pour remettre en question le conservatisme inhérent à la doctrine de Groulx. Maurice Séguin, Guy Frégault et Michel Brunet, tous trois professeurs d'histoire à l'Université, prennent la relève de leur maître mais cherchent à laïciser, à moderniser le nationalisme que leur avait transmis

Lionel Groulx. Ils entreprennent la critique systématique de l'historiographie traditionnelle et de ce que Brunet appellera les mythes de l'agriculturisme, de l'anti-étatisme et du messianisme. Le message est simple. La Conquête a provoqué un repliement sur elle-même de la nation canadienne-française et n'a pas laissé d'autre issue à ses élites que le refuge dans des conceptions nationalistes tout à fait improductives. L'anti-étatisme, en particulier, n'a jamais permis aux Canadiens français d'utiliser efficacement les moyens politiques à leur portée.

Or la Confédération a laissé depuis 1867 un gouvernement entre leurs mains, avec un certain nombre de juridictions. Pourquoi n'utiliseraient-ils pas pleinement ce gouvernement provincial pour s'émanciper, s'épanouir et construire une société moderne? Aux yeux de Brunet (dont la pensée était sans cesse stimulée par ses deux collègues), Québec est la capitale de la nation «canadienne» comme Ottawa celle d'une nation «Canadian». Cette idée fait son chemin au cours des années cinquante et elle sera adoptée pour une bonne part par les gouvernements québécois de la Révolution tranquille.

Entre ce qu'on a appelé l'école de Montréal (pour faire pendant à la conception des professeurs d'histoire de l'Université Laval de Québec plus favorable au fédéralisme), *L'Action nationale* et *Le Devoir*, il existe une sorte d'osmose très active. Brunet écrit dans *L'Action nationale*, de même que Laurendeau, Filion et Pierre Laporte (journaliste au *Devoir*, directeur de *L'Action nationale* en 1954 et plus tard ministre dans le cabinet Lesage). Jean-Marc Léger entre au *Devoir* en 1955. Il y a encore osmose entre ces lieux du néo-nationalisme et la Commission Tremblay sur les problèmes constitutionnels dont il a été question plus haut. Jean-Marc Léger est le rédacteur du mémoire de La Ligue d'action nationale à la commission, Michel Brunet rédige celui de la Société Saint-Jean-Baptiste de Montréal. Un autre néo-nationaliste est responsable du mémoire de la Fédération des collèges classiques. Il s'agit de Paul Gérin-Lajoie, constitutionnaliste et ardent défenseur de l'autonomie provinciale, plus tard ministre de l'Éducation dans le cabinet Lesage. Arthur Tremblay, qui deviendra sous-ministre du même ministère, est employé par la commission comme spécialiste en matière d'éducation. Il n'est donc pas étonnant que le Rapport Tremblay ait été considéré comme la Bible du néo-nationalisme et qu'il ait été abondamment utilisé dans l'élaboration des positions constitutionnelles du Québec au cours des années soixante. Ce rapport propose une réforme fondamentale du système fédératif et présente deux grandes options pour satisfaire aux besoins des Canadiens français du Québec : la décentralisation des pouvoirs au profit de toutes les provinces ou un statut particulier pour le gouvernement de la province de Québec.

On comprend pourquoi Duplessis n'a pas voulu diffuser le rapport. Il n'était nullement intéressé à s'engager sur le terrain de ces audacieuses réformes. D'ailleurs, il sentait très bien que la population du Québec était bien peu touchée par ce courant réformiste. L'école néo-nationaliste, en dépit de sa grande vitalité, est demeurée l'affaire d'élites restreintes tout au long des années cinquante. Elle ne s'adressera vraiment aux masses qu'au moment de la Révolution tranquille. Entre temps, des transformations profondes dans la vie concrète des francophones du Québec préparaient le terrain à la résurgence du nationalisme sous une forme nouvelle et populaire.

Mobilisation sociale

L'après-guerre a entraîné un progrès foudroyant dans le domaine des communications. Les Canadiens français, voyant leur niveau de vie s'élever, ont pu utiliser massivement les moyens de transport modernes, en particulier l'automobile. Le téléphone, la radio sont devenus pour eux d'usage courant et, à partir de 1952, la télévision transforme complètement leur vie en projetant quotidiennement, dans la plupart des régions du Québec, une sorte d'image d'eux-mêmes, une image inévitablement beaucoup plus nette et surtout plus accessible que celle que leurs élites leur peignaient auparavant. L'intensification des communications a eu pour conséquences de rapprocher les populations et d'intégrer les individus à un ensemble social plus vaste. Or, pour les Canadiens français vivant au Québec, cet ensemble social se situe d'abord et avant tout au Québec, tandis que, pour les autres, cet ensemble est, bien entendu, un univers anglophone. Ainsi l'intensification des communications aura produit deux effets diamétralement opposés suivant que des francophones vivaient au Québec ou ailleurs au Canada. Pour les uns, elle les rapproche des autres francophones et accentue leur allégeance culturelle; pour les autres, elle les intègre davantage à la société anglophone et accélère leur assimilation. Ce phénomène est d'autant plus frappant qu'il se manifeste en dépit d'une intention tout à fait opposée de la part du gouvernement canadien qui s'était arrogé le contrôle des communications. La Société Radio-Canada, par exemple, avait reçu pour mission de contribuer à l'unité canadienne en rapprochant tous les Canadiens les uns des autres. Mais, comme on avait dû créer forcément deux réseaux, la société d'État n'a pu que rapprocher, par le réseau français, les francophones du Québec les uns des autres. Car, en dépit de la politique officielle, le réseau français a été d'abord et avant tout un réseau québécois. Il ne parviendra que très tardivement à atteindre les francophones hors Québec, à un moment où déjà le réseau anglais aura fait son oeuvre et où le médium français subira l'interférence d'une gamme impressionnante de messages anglophones; et encore, ce médium demeurera toujours essentiellement québécois. Comment peut-il en être autrement du seul fait de la concentration de la population francophone (et, par conséquent, de celle des communicateurs francophones) en territoire québécois? Cette seule concentration suffit à expliquer que le réseau français, après avoir contribué à l'éclatement de l'idéologie traditionnelle, soit devenu un agent important d'une nouvelle conscience nationale.

Si l'on envisage le Québec comme un réseau de communications, on comprend donc facilement que les Canadiens français se soient rapprochés les uns des autres au Québec tandis que leurs frères de race d'ailleurs au Canada devenaient plus éloignés. C'est la modernisation même de la société canadienne-française qui tisse la trame d'une nouvelle appartenance québécoise. Non pas que les Québécois francophones se soient repliés sur eux-mêmes. Au contraire, ils deviennent plus mobiles et plus ouverts que jamais. C'est même cette mobilité et cette ouverture qui leur donnent une nouvelle conscience d'eux-mêmes comme peuple, parce qu'elles soulignent leurs traits communs en les confrontant à un environnement étranger.

En d'autres termes, les Canadiens français ont subi, d'abord lentement durant la première moitié du XXe siècle, et de façon massive durant les années cinquante, le phénomène de la «mobilisation sociale» tel que défini par Karl Deutsch[3], c'est-à-dire le passage d'une situation d'isolement relatif aux transactions intenses et fréquentes de type urbain. Cette mobilisation sociale s'est traduite, de façon significative, par l'urbanisation mais elle déborde ce phénomène. Car même le paysan qui échappe à la ruée vers les villes peut être «mobilisé socialement». L'usage fréquent des nouveaux modes de communication l'engage à s'intégrer au grand ensemble québécois.

La mobilisation sociale ainsi entendue peut engendrer l'assimilation au groupe qui contrôle les transactions économiques et sociales (dans le cas présent, les anglophones du Québec, les élites économiques de Montréal, métropole canadienne). Elle peut aussi donner lieu à une résistance face à ce groupe de la part des nouveaux mobilisés. Or, il se trouve, d'après les données recueillies par Deutsch, que dans la plupart des sociétés modernes la mobilisation sociale progresse cinq fois plus rapidement que l'assimilation. C'est exactement ce qui s'est produit au Québec. Les Québécois francophones ont été amenés à utiliser les moyens de communication modernes de façon tellement rapide qu'ils se sont heurtés soudainement à la dure réalité: au coeur même du territoire québécois, la langue des communications importantes n'était pas la leur.

Dans un monde de transactions multiples, le phénomène linguistique revêt une importance toute nouvelle. Car la plupart

3. Voir chapitre premier, p. 31, et ''Nation and World'', in *Tides Among Nations*, New York, The Free Press, 1979, pp. 297-314.

de ces transactions se font nécessairement par le canal d'une langue qui est elle-même l'expression d'une culture. Il n'est donc pas étonnant que, dès la fin des années cinquante, un nombre de plus en plus grand de francophones du Québec se soient mis à exprimer des revendications d'ordre linguistique avec une vigueur toute nouvelle et à plusieurs niveaux[4]. Ces personnes exigeaient tout naturellement que les communications dans lesquelles elles se trouvaient désormais engagées se poursuivent dans leur langue à elles et selon leur culture à elles. Elles aspiraient en définitive au contrôle de ces communications par des membres de leur groupe majoritaire. Quand une telle aspiration se manifeste, il y a nationalisme.

Mais pour que ce nationalisme apparaisse clairement, il faudra en outre que les Québécois se donnent un véritable instrument de contrôle. Cet instrument ne pourra être autre que l'État du Québec puisque les autres points de rassemblement de cette société, l'Église, la religion, le village, devaient perdre leur signification dans un univers de mobilisation sociale. C'est donc par le biais d'une sorte d'étatisme, d'une responsabilité accrue accordée au gouvernement de la province de Québec se traduisant par une intervention plus grande du pouvoir politique dans divers secteurs de la société québécoise, que devait apparaître un nouveau phénomène: le nationalisme québécois.

---

4. Pensons par exemple aux communicateurs professionnels eux-mêmes dont plusieurs travaillaient au cœur du Montréal anglophone. Radio-Canada s'était installé dans l'ancien hôtel Ford, rue Dorchester ouest, dans un quartier où il était à peu près impossible de se faire servir en français au restaurant. De plus, ces communicateurs ont bientôt senti le poids de la majorité anglophone dans la société d'État. La grève des réalisateurs de 1958-1959 aurait, dit-on, converti René Lévesque, entre autres, au nationalisme.

CHAPITRE 7

Le nationalisme québécois

Quand le Parti libéral du Québec, sous la direction de Jean Lesage, remportait la victoire au soir des élections du 22 juin 1960, après avoir fait campagne sous le slogan «C'est le temps que ça change!», il n'apparaissait pas très clairement que le Québec entrait dans une des périodes les plus nationalistes de son histoire. On pouvait sans doute prévoir qu'un train de réformes culturelles, sociales, économiques serait mis en marche. On ne percevait pas, par contre, l'avènement d'une affirmation nationaliste sans précédent.

Pourtant, comme on l'a vu au chapitre précédent, tout était bien en place pour que se manifeste un nouveau nationalisme. La vieille idéologie nationale ne tenait plus le coup, Duplessis n'était plus là pour la manipuler et les forces sociales du renouveau s'imposaient de plus en plus à la population dans un contexte de récession économique. Mais, en même temps, l'antinationalisme libéral à la *Cité libre* donnait des signes d'essouflement dans la mesure où un nouvel idéal politique n'était pas nettement dégagé de l'ensemble des critiques sociales et des projets de réforme issus de cette école de pensée. Les néo-nationalistes, par contre, s'ils étaient moins explicites quant à leurs orientations sociales, offraient un projet politique bien concret: la prise en main du pouvoir québécois. Ce sont eux, d'ailleurs, qui ont suivi en plus grand nombre le conseil prophétique donné par Gérard Bergeron (sous la plume d'Isocrate dans une série d'articles parus dans *Le Devoir*) aux forces d'opposition : investissez le Parti libéral, «ce parti est à qui veut le prendre». Si l'on tient compte en plus de la conjoncture de «mobilisation sociale», il n'est pas étonnant que le nouveau gouvernement du Québec se soit caractérisé par le réformisme qu'avaient articulé les antinationalistes mais à l'intérieur d'une structure qui était bien celle des néo-nationalistes.

Cette structure apparaîtra très tôt, quelques mois à peine après la prise du pouvoir par les libéraux. Elle sera à la fois manifestation et moteur d'un nationalisme sans commune mesure avec l'idéologie traditionnelle, affublé d'un mot nouveau pour désigner un appartenance nouvelle : québécois.

Il faut d'abord situer ce nationalisme québécois dans le cadre de deux phénomènes complémentaires : l'étatisme et la sécularisation. On verra ensuite le nationalisme à l'oeuvre dans l'intervention politique, dans l'affrontement avec Ottawa et dans l'ensemble de la société du Québec.

L'État du Québec

S'il est un point majeur des critiques formulées par la nouvelle génération de l'après-guerre à l'endroit de l'ancien régime canadien-français, c'est bien la valorisation de l'organisation étatique. Face au retranchement d'une société traditionnelle, à une doctrine ecclésiastique toute empreinte de méfiance quant au contrôle étatique, à un anticommunisme sommaire qui faisait craindre le totalitarisme à chaque fois qu'on parlait d'éducation obligatoire, de sécurité sociale ou de planification économique, l'intelligentsia canadienne-française néo-libérale reprenait inlassablement le même thème. L'État démocratique n'est que le reflet de la volonté des citoyens. «L'État, c'est nous». Il n'est pas le monstre tant décrié. Seul l'État peut remplir des fonctions de répartition de la richesse, de stimulant à l'entreprise économique, d'assurance sociale, d'organisation de l'éducation nationale.

La critique antinationaliste elle-même s'appliquait à valoriser le rôle de l'État. On se référait parfois à l'État libéral corrigé sous la forme du «Welfare State» qui s'accréditait un peu partout en Occident. À d'autres moments, on s'engageait plus résolument en faveur de la social-démocratie ou du socialisme modéré.

En 1962, l'Institut canadien des affaires publiques, un organisme qui se voulait plutôt imperméable au nationalisme, tenait sa conférence annuelle sous le thème du rôle de l'État. Il s'en dégageait une image très positive du processus étatique.

Pierre Elliott Trudeau lui-même écrivait dans les pages de *Cité libre* en 1961:

> Nous avons grandi, et nos pères avant nous, et leurs pères avant eux, sous un État provincial dont l'essentiel de la politique a été d'aliéner les meilleures et les plus accessibles de nos ressources naturelles et d'abdiquer toute juridiction sur l'organisation sociale et l'orientation culturelle des Canadiens français. Cette politique [...] nous a été imposée par nos élites clérico-bourgeoises: de tout temps celles-ci ont empêché de s'accréditer parmi nous la notion d'un État dont la fonction eût été d'intervenir activement dans le processus historique et d'orienter positivement les forces communautaires vers le bien général...[1]

Trudeau n'indiquait pas clairement comment un État provincial du Québec pouvait «intervenir activement dans le processus historique» sans être animé par un certain nationalisme. Cela aurait-il été possible? Chose certaine, c'est que les antinationalistes ne sont pas parvenus à appliquer leur conception d'un État interventionniste au niveau provincial. Il se sont plutôt objectés au nationalisme québécois et se sont engagés au niveau

---

1. *Cité libre*, XII, 35, mars 1961, pp. 3-4.

fédéral pour le combattre. Cet État provincial que souhaitait Trudeau deviendra son pire ennemi.

L'étatisme des néo-nationalistes apparaît beaucoup mieux accordé à leurs objectifs. Dès le début des années cinquante, en particulier lors de la crise fédérale-provinciale de 1954 au sujet des impôts, ils avaient parlé du gouvernement provincial comme d'un État national des Canadiens français, notamment André Laurendeau et Gérard Filion dans les pages du *Devoir*. Jean-Marc Léger avait aussi développé une théorie de l'État axé sur le modèle français. Avant même la victoire libérale du juin 1960, il proposait qu'on utilise, au moins en présence de visiteurs français, l'expression «État du Québec»[2]. Et les historiens néo-nationalistes défendaient inlassablement leur thèse d'une utilisation intense des juridictions provinciales et donc d'une intervention active du gouvernement de Québec.

Avec l'arrivée d'une nouvelle équipe au pouvoir, composée d'un certain nombre de néo-nationalistes et de leurs alliés, l'idée d'un État actif, interventionniste agit comme un véritable raz de marée. Un journal comme *Le Devoir* multiplie les éditoriaux sur cette question. On cherche surtout à enrayer tous les préjugés que la population aurait pu entretenir quant à l'État et à ses interventions. On parle des responsabilités de l'État, au premier chef celle de veiller à la préservation et à l'épanouissement de la culture française en Amérique du Nord. En mars 1961, au moment de la création du ministère des Affaires culturelles, M. Jean Lesage déclare ce qui suit:

> Il faut bien comprendre que l'État québécois, c'est le point d'appui collectif de la communauté canadienne-française et, à l'heure actuelle, l'instrument nécessaire de son progrès culturel, économique et social. Il nous faut savoir l'utiliser sans excès, mais aussi sans fausse crainte. L'État québécois n'est pas un danger parmi nous, au contraire, il est à nous. Il nous appartient et émane de notre peuple[3].

2. *Le Devoir,* 4 février 1960, p. 4.
3. *Le Devoir,* 6 mars 1961, p. 1

Voilà déjà exprimée très clairement l'orientation nouvelle du nationalisme étatiste. Des ministres comme René Lévesque et Paul Gérin-Lajoie tiennent le même langage. L'État est désigné comme un «levier», un «outil», un instrument d'émancipation collective. La voie est donc tracée dès 1961 pour un accroissement considérable de l'appareil d'État qui devient légitimé pour ne pas dire sacralisé par l'idée grandiose d'une mission originale attribuée au seul État francophone d'Amérique du Nord.

Ce nationalisme étatiste n'est pas survenu, comme cela s'était produit ailleurs dans le monde, dans le prolongement d'un nationalisme moderne (presque oublié au Québec depuis 1838). Les deux phénomènes se sont produits ensemble. Les Canadiens français ont assumé tout à coup à la fois les valeurs de la Révolution française et celles de la révolution industrielle et même déjà d'une société post-industrielle. Tout en accentuant le rôle de l'État, il a fallu en même temps s'attaquer à la structure cléricale d'une société d'ancien régime. Mais déjà, cette structure présentait des signes de défaillance.

Sécularisation et déclin du pouvoir ecclésial

L'Église avait été, depuis environ 1840, la clef de voûte du nationalisme canadien-français, le rassemblement d'un peuple. Il était impensable qu'on se dise nationaliste au Canada français sans accepter tout au moins le rôle essentiel qu'y tenait l'Église.

Or, la mobilisation sociale rendait ce leadership ecclésial et le contrôle qui l'accompagnait de plus en plus difficiles. Car ce phénomène entraîne un processus irréversible de sécularisation. L'intensification des communications de type urbain rend les relations humaines plus anonymes et les situe bien au-delà des communautés de base, notamment les paroisses, sur lesquelles l'Église s'appuyait. L'être mobilisé devient inévitablement plus autonome, moins susceptible de valoriser son appartenance à des ensembles restreints comme la famille, la paroisse, la région. S'il continue d'appartenir à un mouvement religieux et de manifester concrètement son adhésion à une foi, cela prendra une signification plus spirituelle et se traduira de moins en moins de façon visible à l'intérieur des structures sociales.

En d'autres termes, la mobilisation sociale a tendance à briser la solidarité religieuse au profit du pluralisme des options spirituelles. L'État devient la seule organisation capable de répondre, de façon globale, aux besoins sociaux des individus et de créer une nouvelle solidarité à un niveau plus large et plus neutre.

C'est ce qui s'est produit au Québec durant les années soixante. La confessionnalité a été remise en question à peu près partout: syndicats, hôpitaux, organismes culturels, universités, collèges, etc. Parfois, l'Église a dû abandonner son contrôle sous la pression des faits; en d'autres occasions, elle s'est retirée de plus ou moins bonne grâce, tantôt de son gré, tantôt après de dures luttes menées par les éléments plus conservateurs du clergé. Dans certains cas, la confessionnalité a été maintenue coûte que coûte même si la pratique enlevait tout son sens à l'étiquette. Toujours, c'est l'État qui assumait graduellement et tout naturellement les rôles jadis joués par l'Église en matière d'éducation, de culture, d'assistance sociale, de redistribution des richesses.

Quelles que furent ses prétentions, l'Église devenait incapable de jouer ses rôles traditionnels, d'abord parce qu'elle n'était pas équipée, de par sa nature même, pour répondre aux nouveaux besoins d'une société élargie et aussi parce que, conséquence du déclin de son prestige, ses effectifs diminuaient sensiblement. On assista, au cours de cette période, à une vague exceptionnelle de défections au sein du clergé et des communautés religieuses et à une baisse considérable des entrées. Ainsi un collège pouvait bien demeurer confessionnel, mais la rareté du personnel religieux faisait en sorte que la grande majorité des enseignants étaient des laïcs à qui il devenait de plus en plus difficile d'imposer une profession de foi.

De plus, il s'est trouvé que bon nombre de clercs et religieux, même s'ils n'abandonnaient pas leur état, devinrent conscients du changement social qui s'opérait et se firent les protagonistes d'une nouvelle interprétation du rôle de l'Église. Pour eux, la tutelle historique de l'Église sur la société québécoise, bien loin d'être louable et légitime, représentait une véritable aberration théologique, un fardeau inutile et nuisible. Ces jeunes clercs et religieux se sont souvent alignés avec les laïcs les plus anticléricaux pour réclamer la déconfessionnalisation des institutions tout en prônant une spiritualisation des fonctions ecclésiales et en dénonçant l'ingérence de l'Église dans le temporel.

Le pontificat de Jean XXIII et surtout le Concile Vatican II vinrent accentuer cette nouvelle tendance. Partout dans l'Église catholique soufflait un vent de renouveau. On parlait beaucoup de pluralisme, d'oecuménisme, de tolérance religieuse, d'ouverture au monde contemporain, de non-ingérence, etc. Il était inévitable que ce nouveau courant produise un effet profond sur l'Église québécoise et rendre à peu près impossible une guerre religieuse que la conjoncture eût sans doute provoquée à une autre époque.

Il n'y eut donc pas de durcissement généralisé de la part des clercs. Ce qui ne veut pas dire que les résistances, parfois assez virulentes, ne se sont pas manifestées. Si le changement s'est opéré assez rapidement en comparaison avec d'autres sociétés, il s'est tout de même réalisé plutôt graduellement. En 1960, la nouvelle équipe libérale, avant de former le gouvernement qui allait arracher en douce beaucoup de pouvoir à l'Église, s'était présentée en faisant état des allégeances religieuses de ses membres. Un peu plus tard, le Premier ministre Jean Lesage déclarait sans ambages que jamais, sous son gouvernement, ne serait créé un ministère de l'Éducation, entendant par là sans doute que l'État ne devait pas s'immiscer dans une sphère de juridiction ecclésiale. Quand, malgré tout, fut déposé le projet de loi à l'effet de créer ce ministère, les évêques et plusieurs membres du clergé menèrent une lutte acharnée contre le projet d'abord, puis en faveur de certains amendements devant garantir la confessionnalité des écoles. En 1966, le gouvernement libéral, artisan de la Révolution tranquille, subit une défaite électorale attribuable, au moins en partie, à une certaine lassitude des électeurs face aux changements que subissait la société québécoise. Le parti de l'Union nationale se faisait fort de garantir une plus grande fidélité aux traditions et paraissait, en raison de son passé, assez près d'un certain conservatisme religieux. Les CEGEPS (collèges d'enseignement général et professionnel) non confessionnels furent quand même créés sous l'Union nationale et les Universités de Montréal et Laval abandonnèrent leur statut d'universités catholiques. En 1968, le gouvernement créait une université d'État, l'Université du Québec, et mettait sur pied un conseil des universités. Quant aux écoles élémentaires et secondaires du secteur public francophone, elles demeureront officiellement confessionnelles en dépit d'un climat pluraliste sans cesse croissant.

Ces lenteurs illustrent bien l'inévitable retard des politiques sur les pratiques. Le Québec se sécularisait progressivement même si, officiellement, on se refusait à l'admettre de peur de heurter la bonne conscience de la population et de réveiller un certain sentiment de culpabilité encore mal résorbé. Qu'on prenne pour seul exemple de cette sécularisation la baisse progressive de la pratique religieuse au cours de la période et une diminution notable de références au religieux dans le discours politique. Il ne fut plus nécessaire, après 1966, d'utiliser la religion dans une campagne électorale.

Le déclin de la légitimation religieuse laissait un vide qui devait être comblé. Ce sont l'étatisme et le nationalisme qui occupèrent très tôt, presque spontanément, la place abandonnée par l'Église. L'État entrait graduellement dans les sphères de l'éducation, de la culture et des affaires sociales. La ferveur jadis entretenue par l'allégeance religieuse fut remplacé par la ferveur nationale. Les congrès eucharistiques et les défilés de la Fête-Dieu n'existaient plus. Les Québécois s'adonnaient à d'autres célébrations alimentées par leurs chansonniers presque tous inspirés par le nouveau nationalisme. Les fêtes de la Saint-Jean prirent la place des grands ralliements religieux.

On a souvent répété que le nationalisme québécois des années soixante et soixante-dix tenait lieu d'une nouvelle religion, que les jeunes générations nationalistes étaient tout aussi intransigeantes quant à l'idéal national et indépendantiste que leurs aînés l'avaient été eu égard au catholicisme, que des dogmes nouveaux avaient succédé aux anciens. Ces affirmations contiennent, à n'en pas douter, une part de vérité; mais elles ne rendent pas vraiment compte des mutations de la société québécoise. Car le passage du collectivisme religieux au nationalisme signifie bien plus qu'un simple changement de religion. Le Québec a cessé d'être dominé par l'autorité religieuse, non pas tellement par lassitude à l'endroit de cette autorité, ni en raison des critiques qu'on pouvait lui adresser, mais surtout parce que la mobilisation sociale ne permettait plus l'exercice d'un tel type d'autorité. Le Québec des années soixante ne peut plus définir son identité par référence au religieux. Le nationalisme moderne est un phénomène d'affirmation d'une identité collective laïque. Il se situe à un niveau autre que l'allégeance religieuse. En parler comme d'une nouvelle religion, c'est utiliser tout au plus un langage métaphorique. Car si le nationalisme remplace la religion comme point de rassemblement d'un peuple, c'est qu'il apporte autre chose que la religion.

Voyons maintenant comment ce nationalisme s'est défini au niveau de la politique québécoise.

Le Québec, «expression politique du Canada français»

Jean Lesage déclarait en 1964: «... nous croyons que le Québec est l'expression politique du Canada français et qu'il joue le rôle de mère patrie de tous ceux qui, au pays, parlent notre langue[4]».

---

4. 20 septembre 1964, cité par Claure Morin, dans *Le combat québécois*, Montréal, Boréal Express, 1973, p. 68.

Le Premier ministre du Québec donnait alors, par ces mots, tout son sens à la québécisation du nationalisme des Canadiens français. L'identité canadienne-français, mûrie et renforcée par la mobilisation sociale, était en quête d'une expression politique. Car c'est au niveau politique, et à ce seul niveau, que cette identité pouvait se signaler, s'affirmer et trouver les moyens de son épanouissement. Aucune institution, pas même l'Église, n'était assez forte et assez englobante pour parler au nom des Canadiens français, si ce n'est le gouvernement du Québec. Or, ce gouvernement venait de naître pour ainsi dire. Entendons par là que le pouvoir québécois avait commencé d'agir comme agit un État moderne. Il s'était donné une véritable fonction publique et avait déjà tracé les voies de sa responsabilité à l'égard de la société québécoise et de sa majorité francophone.

En somme, l'État du Québec se présentait comme un État national. Jean Lesage ne pouvait signifier autre chose en affirmant que le Québec jouait «le rôle de mère patrie de tous ceux qui, au pays, parlent notre langue». Seul un État national peut vraiment jouer un pareil rôle qui revient à celui d'une métropole par rapport à sa diaspora.

Jean-Jacques Bertrand allait plus tard souligner la même réalité de façon moins directe quand il affirmait, après avoir rappelé l'existence de «deux collectivités, deux peuples, deux nations» au Canada: «Sans le Québec, il pourrait encore y avoir des minorités françaises, mais il n'y aurait plus vraiment le Canada français[5]». En d'autres termes, le Québec est le coeur de la nation canadienne-française. Le gouvernement du Québec est donc plus qu'un simple gouvernement provincial, en raison de sa responsabilité à l'endroit d'une nation. Cela fait du Québec, à toutes fins pratiques, un État national.

---

5. Discours à la Conférence constitutionnelle canadienne, Ottawa, 10-12 février 1969, cité par Giuseppe Turi, *Les Problèmes culturels du Québec,* Montréal, La Presse, 1977, p.73.

Cet État national devenait donc le grand instrument d'émancipation de la nation canadienne-française. C'est lui qui devait permettre aux francophones du Québec de prendre en main leur destinée. Sur tous les plans cet État a pris l'initiative : culture (création du ministère des Affaires culturelles), éducation (création du ministère de l'Éducation), affaires sociales (plusieurs programmes dont les plus marquants ont été l'assurance-hospitalisation et l'assurance-maladie). C'est au plan économique que l'action de l'État apparut davantage dans une perspective nationaliste. Il s'était toujours trouvé des orateurs, au cours de l'histoire du Québec, pour invoquer la nécessité pour les Canadiens français de reconquérir leur économie. Mais jamais les gouvernements ne s'étaient mis à l'oeuvre dans ce domaine comme ils l'ont fait depuis 1960.

Cette intervention n'avait rien de doctrinaire et elle ne se présentait pas comme un véritable étatisme, encore moins comme une voie socialiste. Elle procédait simplement, disait-on, d'une lecture réaliste de la situation du peuple canadien-français dominé économiquement et sans autre moyen de redresser cette situation que celui de l'intervention étatique.

> Les Québécois, disait Jean Lesage en 1963, n'ont qu'une seule institution puissante : leur gouvernement. Et maintenant, ils veulent se servir de cette institution pour construire l'ère nouvelle à laquelle ils ne pourraient pas aspirer autrement[6].

Autrement dit, le seul grand capitaliste francophone capable tant soit peu de rivaliser avec les grandes entreprises anglophones d'Amérique du Nord, c'était l'État québécois. Cet État s'est donc mis à l'oeuvre. Entre autres actions, retenons seulement les deux plus spectaculaires, la nationalisation du réseau hydro-électrique québécois qui a fait de l'Hydro-Québec la première grande entreprise contrôlée par des francophones et ce qu'on a appelé le projet du siècle, la construction de barrages

---

6. *Le Devoir*, 10 octobre 1963, p. 8.

à la Baie de James. Ces deux opérations se sont avérées rentables pour les Québécois en dépit des critiques qu'on leur a adressées sur un plan strictement économique. Mais elles ont fait plus: elles ont alimenté positivement le nationalisme québécois en ce qu'elles ont donné aux Québécois une fierté nouvelle et surtout un accès à des réseaux économiques dont, jusquelà, ils se sentaient exclus.

Sans doute, l'action économique de l'État québécois n'a pas éliminé tout à fait l'infériorité des francophones dans l'industrie, la finance et le commerce. Mais elle a au moins alimenté la confiance et permis de réels progrès. Les francophones québécois sont aujourd'hui plus près qu'ils ne l'étaient en 1960 d'un véritable contrôle de leur économie. Il est difficile de penser que cela aurait pu se produire sans l'action de l'État et la conscience de cet État d'agir au nom d'une nation.

Cette conscience et cette résolution se sont manifestées de bien des façons et se sont exprimées par divers slogans: «Un Québec fort», «Québec d'abord», «Une province pas comme les autres», «Un statut particulier», «Égalité ou indépendance», «Souveraineté cultutelle». Toujours, que ce soit dans l'enthousiasme de la Révolution tranquille, dans l'assurance de Daniel Johnson, les hésitations ou la bonne foi de Jean-Jacques Bertrand ou même à travers les professions de foi fédéralistes de Robert Bourassa, apparaissait cette idée centrale d'un État québécois devant être doté de tous les pouvoirs lui permettant d'assumer sa responsabilité à l'endroit d'une nation[7].

La nation dite canadienne-française allait s'identifier de plus en plus au territoire québécois. Cela était bien naturel dans la mesure où le principal moteur du dynamisme national était l'État québécois ayant juridiction sur son seul territoire, même s'il voulait bien jouer le rôle de métropole, au plan culturel, par rapport aux francophones des autres provinces. Ainsi, inévitablement, le territoire succédait à l'ethnie dans la définition du nationalisme.

7. Voir Claude Morin, *op. cit.*, p. 60.

Autrefois, disait Daniel Johnson, on parlait assez couramment de deux races. Si nous préférons utiliser aujourd'hui le mot «nation», c'est précisément parce qu'il évoque une dimension infiniment plus vaste que celle de l'origine ethnique: la dimension culturelle.

L'ethnie est une conception statique. On ne peut rien changer à sa généalogie. La culture est au contraire une notion dynamique. Une culture est constamment nourrie par les rapports sociaux et les communications. À l'époque de la mobilisation sociale, la culture est soutenue et encouragée par l'action d'un gouvernement sur un territoire donné. Dans le cas qui nous intéresse, c'est en territoire québécois qu'une culture francophone vit et se développe. En conséquence, la culture canadienne-française devient peu à peu, à toutes fins pratiques, la culture québécoise. Au cours des années soixante, une nation québécoise est née.

Une telle mutation ne pouvait que mettre en lumière le problème des minorités, d'abord celui des minorités francophones disséminées à travers le Canada, puis celui de la minorité anglophone du Québec.

Depuis longtemps, la population canadienne-française vivant en dehors du Québec était soumise à un taux d'assimilation assez élevé. Mais on pouvait toujours attribuer cette assimilation à l'indifférence, voire à l'hostilité des gouvernements provinciaux anglophones qui se refusaient à reconnaître à cette population les droits qu'elle revendiquait. Tout en espérant un sort meilleur, on pouvait toujours cependant s'appuyer sur une certaine fidélité à la langue et à la religion des ancêtres. Il avait été possible en effet aux Canadiens français de survivre dans la mesure où ils vivaient dans des enclaves plus ou moins étanches. Une paroisse francophone a pu longtemps constituer un milieu de vie unifié, un ensemble relativement autonome au point de demeurer presque imperméable à la société anglophone environnante. Mais l'accélération de la mobilisation sociale vint bouleverser cette situation. Comme je l'ai noté plus haut, ce qui a produit au Québec une plus grande homogénéisation de la population francophone et un resserrement des liens entre Canadiens français devait détruire ailleurs l'autonomie de ces foyers de vie francophone. Au moment où les habitants du Québec devenaient plus québécois, ceux de l'Ontario devenaient plus ontariens.

Malgré tout, la population francophone hors Québec demeurait assez nombreuse et ses élites assez tenaces (encouragées souvent par un soutien tout à fait spécial de la part du gouvernement fédéral) pour reprocher aux Québécois de se dissocier d'elle en axant toutes leurs énergies sur l'État et le territoire du Québec. Mais, en vertu des raisons mentionnées plus haut, il ne pouvait pas en être autrement. Le jour où les francophones du Québec prenaient conscience d'être une majorité, ils ne pouvaient plus partager le sort d'une minorité avec leurs frères non québécois. Ils pouvaient cependant faire rayonner leur vitalité hors du Québec et étendre, en quelque sorte, le réseau québécois de communications outre-frontières. Et c'est bien ce qui s'est produit. C'est, en grande partie, en s'abreuvant à la source québécoise que les minorités françaises du Canada ont pu conserver ici et là une certaine identité culturelle. Ceci peut être dit sans condescendance de la part des Québécois. Ces derniers n'ont d'autre charisme que celui d'être assez nombreux pour constituer une véritable culture vivante et surtout pour contôler un gouvernement.

Le cas des Acadiens doit être mis à part. Bien que victimes d'injustices et de discriminations tout au long de leur histoire, ils constituent au Nouveau-Brunswick une population assez nombreuse et compacte pour demeurer fidèles à des traditions qui leur confèrent une sorte d'identité nationale distincte de celle du Québec. Mais encore ici l'absence d'un réel contrôle sur un gouvernement n'a pas permis aux Acadiens de constituer un véritable réseau de communications. Et c'est peut-être un peu l'exemple québécois qui a favorisé l'éclosion d'un nouveau nationalisme et la création d'un parti acadien voué à l'érection d'une province acadienne.

Le problème de la minorité anglophone s'est posé plus tard. Car cette population, en vertu de sa situation privilégiée, a mis du temps à prendre conscience de son statut minoritaire. D'ailleurs, privilèges mis à part, aussi longtemps que les Québécois francophones se disaient Canadiens français, il était bien normal que les anglophones, de leur côté, se disent Canadiens, le qualificatif d'anglais étant superflu du simple fait que le Canada était gouverné et contrôlé par une majorité anglophone. Les Québécois de langue anglaise faisaient donc tout bonnement partie de la majorité anglophone du pays et se percevaient bien nettement comme tels.

Mais, à partir du moment où l'État du Québec se définit une responsabilité spéciale à l'endroit de sa majorité francophone et que cette dernière prit conscience de sa force en s'affublant du nom de Québécois, il fallut bien que les anglophones deviennent une minorité québécoise. En raison de leur statut économique et de leur absence d'intérêt à la politique québécoise (notons qu'ils demeuraient toujours bien branchés sur le réseau de communications canadien, un réseau dont la ville de Montréal avait longtemps été le centre), les anglophones du Québec n'ont pas véritablement pris conscience du phénomène. Ils interprétaient les déclarations des Premiers ministres du Québec et le nouveau nationalisme québécois comme une flambée passagère d'une rhétorique canadienne-française qu'ils n'avaient jamais prise au sérieux.

Le nationalisme québécois demeurait pourtant bien vivant. Outre le dynamisme nouveau de l'État québécois, il inspirait des mouvements indépendantistes et même jusqu'à la tragédie de 1970, certaine formes de terrorisme. On réclamait ici et là l'unilinguisme, un McGill français, des raisons sociales francophones, etc. Déjà certaines élites anglophones s'inquiétaient, se résignaient avec plus ou moins bonne grâce à apprendre le français. Mais il fallut la législation sur la langue (la loi 22 de 1975, puis la loi 101 en 1977) pour provoquer la pénible prise de conscience d'être une minorité et de devoir s'intégrer (non pas nécessairement s'assimiler) à une majorité francophone un peu (bien qu'inévitablement à un moindre degré en raison du contexte) comme les minorités françaises s'intégraient ailleurs.

La dynamique de l'État québécois, État national, n'a de sens que si cette intégration se produit. Le nationalisme québécois n'étant pas ethnique de par sa nature, cette intégration est possible, bien que très difficile pour une population qui n'y était pas du tout préparée.

Il faut dire aussi que les Canadiens français du Québec, de leur côté, n'étaient pas mieux préparés à se concevoir autrement qu'en termes ethniques et qu'ils ont continué à affecter d'une telle connotation le vocable de québécois qu'ils s'attribuaient. Pourtant, le nouveau vocable ne peut avoir d'autre signification que territoriale et culturelle. Une réalité nouvelle est apparue, celle d'un Québec jouissant d'un maximum d'autonomie dans les faits sinon de droit. Cette réalité n'a rien d'un phénomène ethnique, elle est issue du développement d'un système de communication, d'un certain dynamisme d'ordre culturel. Mais les populations sont le plus souvent en retard par rapport aux réalités qu'elles ont elles-mêmes engendrées. Dans la mesure où les Québécois francophones ont continué de se percevoir comme des Canadiens français, il a été plutôt difficile de convaincre les anglophones qu'ils pouvaient devenir des Québécois à part entière. Cette question de la minorité anglophone sera traitée d'une manière plus élaborée au chapitre suivant.

La dynamique de l'État québécois conduit-elle à la souveraineté entière du Québec? En bonne logique, il faudrait répondre oui. En fait, il a toujours été question d'indépendance du Québec au cours de cette période, bien que ce ne fut jamais la politique officielle des gouvernements. Le mouvement indépendantiste, né timidement en 1957 comme un mouvement de droite, s'est alimenté au néo-nationalisme des années soixante et a pu bientôt s'identifier à des aspirations de gauche. Le mouvement avait assez de succès pour que les gouvernements lui fassent de l'oeil, à l'occasion.

Déjà, en 1963, un membre du gouvernement Lesage (il faut dire qu'il s'appelait René Lévesque) déclarait: «Si nous n'arrivons pas, nous du Québec, à faire accepter le binationalisme, il faudra penser à nous séparer[8]». Plus tard, Daniel Johnson publiait un ouvrage sous le titre *Égalité ou indépendance*. Et même Robert Bourassa pouvait brandir la menace séparatiste dans ses négociations avec le Premier ministre du Canada. On a dit qu'il comptait, en 1976, sur une forte opposition du Parti québécois pour pouvoir s'opposer plus résolument aux visées du gouvernement fédéral.

Mais l'axe central des politiques québécoises n'était pas indépendantiste. Il s'agissait seulement d'obtenir pour l'État québécois tous les pouvoirs lui permettant d'assumer ses responsabilités à l'endroit d'un peuple. Fallait-il conférer au Québec le statut d'État-nation qui ne s'entend guère sans la souveraineté? Aucun gouvernement de 1960 à 1976 n'est allé jusque-là. Chacun a espéré que cet État québécois se construise au sein de la Confédération canadienne. Mais tout s'est passé comme si on était tellement affairé à construire cet État que son statut constitutionnel demeurait au second plan. L'essentiel de la dynamique québécoise a consisté à aménager une société nouvelle, distincte de celle du Canada anglais, bien qu'en étroite relation avec elle.

Ce travail s'est avéré assez accaparant pour qu'on puisse se permettre de retarder l'échéance du grand choix constitutionnel. Il a fallu quand même faire face au géant fédéral à tous les détours du chemin. Car à la logique québécoise s'opposait une logique tout aussi ferme, celle de l'État national de tous les Canadiens.

Le Québec et son rival

Quand apparut en 1960 un État québécois soucieux d'intervenir dans la dynamique sociale, on s'en est réjoui à Ottawa, mais pour bien peu de temps. Car l'accession du Québec à l'âge moderne le plaçait inévitablement en concurrence avec

8. *Le Devoir*, 4 novembre 1963, p. 1.

le pouvoir fédéral. Comme à peu près toutes les politiques issues du grand courant de modernisation de l'appareil étatique fédéral étaient de constitutionnalité douteuse, les gouvernements du Québec ne cesseront, entre 1960 et 1976, de défier ces politiques au nom de la nouvelle prétention de l'État québécois à des responsabilités particulières à l'endroit d'une nation et surtout au nom de sa volonté de créer un véritable réseau de communications québécois.

Il est significatif qu'après les batailles fiscales, les querelles de juridiction en matière de régimes de rentes, de relations internationales, de politiques sociales, ce soit sur le plan des communications que les dissensions aient été les plus vives entre Ottawa et Québec, peu avant 1976. Car ce sont les communications qui constituent vraiment l'ossature d'une société moderne; ce sont elles qui permettent à une nation de se constituer et de s'affermir. C'est grâce à son contrôle sur les communications qu'un État moderne rassemble les éléments épars d'une société et préside à l'affirmation d'une identité collective.

Il était donc naturel que chaque gouvernement québécois, dans son désir de construction d'un Québec moderne, État national des Canadiens français, s'oppose au gouvernement fédéral. Jean Lesage, ancien membre du très centralisateur gouvernement de Louis Saint-Laurent, aura eu le bonheur de se trouver en face d'un gouvernement conservateur présidé par John Diefenbaker, absolument imperméable aux nouvelles aspirations québécoises (ses 50 députés québécois, dont certains étaient d'authentiques nationalistes, n'y pouvaient strictement rien). Cela lui permit de s'attaquer avec plus d'ardeur à la centralisation qu'il avait jadis endossée. Daniel Johnson affirmera bien haut la volonté québécoise à la Conférence interprovinciale de Toronto en 1967, puis aux conférences fédérales-provinciales de 1968. Jean-Jacques Bertrand marchera dans la foulée de son prédécesseur. Et même Robert Bourassa, tout en se faisant le champion du fédéralisme, refusera la projet fédéral de rapatriement de la Constitution à Victoria, en 1971, engagera la bataille des communications et proclamera la «souveraineté culturelle» du Québec. On a souvent souligné l'ambiguïté de cette dernière formule. Elle avait au moins l'avantage d'opposer un démenti québécois à la formidable panoplie de politiques fédérales en matière de culture. La seule souveraineté culturelle du Québec signifierait, entre autres, le démantèlement du Conseil des arts, de l'Office national du film, de Radio-Canada et de tout l'arsenal de la diplomatie culturelle aux Affaires extérieures. Les membres du gouvernement fédéral ont bien compris que cette «souveraineté culturelle», si mal définie et si timidement affirmée fût-elle, constituait une véritable menace. Ils se sont en effet employés à la tourner en dérision, non sans un certain succès puisqu'elle provenait d'un gouvernement qui perdait en plus de sa crédibilité et que la «souveraineté culturelle» était aussi ridiculisée au Québec, pour des raisons diamétralement opposées.

Le pouvoir québécois était donc devenu plus qu'un simple contestataire, comme il l'avait été sous Duplessis. Il se posait désormais comme un rival, il entendait jouer, dans plusieurs secteurs vitaux relatifs à ses responsabilités nationales, un rôle qu'Ottawa s'était accoutumé à considérer comme le sien. On pouvait d'ailleurs se targuer, dans la capitale fédérale, d'avoir fait davantage pour le progrès de la culture canadienne-française qu'aucun gouvernement provincial québécois. L'élite québécoise s'était d'ailleurs habituée, au cours des années cinquante surtout, à considérer que les politiques progressistes ne pouvaient venir que d'Ottawa. C'est à Ottawa seulement que s'était développée une fonction publique éclairée, à l'abri du petit patronage local.

Or, voici que Québec relevait le défi de renverser cet ordre de choses. De façon assez rapide et spectaculaire, la fonction publique québécoise s'est mise à s'enrichir des meilleurs talents issus des universités du Québec en plein élan, issus aussi de la capital fédérale où des fonctionnaires francophones n'arrivaient pas à imposer leur langue de travail. Très tôt, la rivalité Québec-Ottawa est devenue une rivalité bureaucratique. Les nouveaux agents d'un secteur public québécois en croissance vertigineuse n'entendaient pas se contenter d'exercer les pouvoirs tronqués auxquels l'administration publique provinciale était réduite. Ils devinrent donc les artisans les plus résolus du nouveau nationalisme québécois. Leur dynamisme, leur passion du pouvoir les amenaient à proposer, sinon à imposer à leurs patrons des exigences de plus en plus articulées vis-à-vis du pouvoir fédéral. Ce serait sans doute trop réduire le nationalisme québécois que d'en faire une simple lutte de pouvoir conçue par des administrateurs ambitieux. Car le phénomène, en plus de puiser dans les racines profondes de la conscience collective, s'est manifesté bien au-delà des officines gouvernementales. Mais il est bien vrai que l'administration publique a constitué le centre nerveux de l'affrontement Québec-Ottawa.

Les fonctionnaires fédéraux n'ont jamais accepté, de leur côté, les nouvelles revendications québécoises, non pas tellement, comme on l'a toujours dit, parce qu'elles menaçaient de faire éclater la Confédération, mais parce qu'elles signifiaient une perte de pouvoir qui remettait en cause des fonctions qu'on s'était habitué à considérer comme essentielles. Pour certains d'entre eux, les nouvelles prétentions québécoises les invitaient à se faire hara-kiri, une opération rarement acceptable en milieu bureaucratique.

On s'est donc empressé de contrecarrer de toutes sortes de façons l'ambition québécoise fondamentale, celle qui consistait à présider aux destinées de la francophonie canadienne identifiée à la nation québécoise. Il fallait démontrer que le Canada était aussi la patrie des Canadiens français ou, en d'autres termes, que les francophones pouvaient se sentir chez eux partout au Canada. La vaste enquête royale sur le bilinguisme et le biculturalisme fut mise sur pied précisément pour relever ce défi. Elle n'en devait pas moins aboutir à un rapport qui mettait en relief le concept de majorité, ce qui revenait à dire que la majorité québécoise était le point d'appui de la culture francophone au Canada. La loi sur les langues officielles ramenait la question à de moins dangereuses considérations: elle voulait seulement démontrer qu'un francophone pouvait se sentir canadien au même titre qu'un anglophone en faisant en sorte que la langue française ait droit de cité partout au Canada. En d'autres termes, on voulait mettre sur pied un véritable réseau de communications francophone à la largeur du Canada, ce qui revenait à annuler la prétention essentielle du gouvernement québécois. Les minorités françaises de l'Ontario, du Manitoba, du Nouveau-Brunswick devinrent tout à coup les points de mire du pouvoir outaouais. La radio française de Vancouver, la francophonie torontoise et , au premier chef, le *French power* à Ottawa furent cités comme des exemples typiques d'une responsabilité outaouaise à l'endroit du fait français et comme une réfutation définitive des aspirations québécoises. On s'appliquait encore à manipuler les statistiques en affirmant, par exemple, à l'étranger que près d'un million de francophones vivaient en Ontario et que près de la moitié de la population du Nouveau-Brunswick était de langue française. Il eut été aussi juste, mais combien moins frappant de dire que les francophones comptaient pour dix pour cent en Ontario et se dénombraient à environ 300 000 au Nouveau-Brunswick! Jamais donc l'aspiration québécoise essentielle (le Québec, expression politique du Canada français) ne fut, je ne dis pas reconnue, mais seulement discutée dans les milieux fédéraux. Cette aspiration telle que véhiculée, il faut toujours le souligner, n'était pas séparatiste. Elle fut défendue par quatre premiers ministres fédéralistes. Il n'est certes pas impensable d'imaginer une Confédération canadienne où le Québec serait défini comme essentiellement français et le reste du pays comme essentiellement anglais, ce qui est bien près de correspondre à la réalité. Mais pourtant, c'est ce type de clivage qui est toujours apparu à Ottawa comme l'hérésie suprême. Tout indique même que cette «hérésie» et l'abandon de fonctions qu'elle entraîne avec elle pour le gouvernement d'Ottawa sont envisagées par plusieurs comme un mal plus redoutable que l'indépendance du Québec elle-même. Voilà pourquoi sans doute on a toujours insisté, en bonne orthodoxie fédéraliste, pour forcer les Québécois à l'impossible dilemme : l'indépendance ou la Confédération existante.

Pourtant, la grande majorité des Québécois s'est toujours refusée à poser le problème en ces termes extrêmes. Un fort mouvement indépendantiste, incarné surtout dans le Rassemblement pour l'indépendance nationale, s'est attiré des appuis importants au cours des années soixante. Mais jamais il n'a véritablement mordu sur le pouvoir : il n'a recueilli que neuf pour cent du vote en 1966. Quand le mouvement indépendantiste, à la faveur du durcissement des positions outaouaises sous Pierre Elliott Trudeau, se rallia autour d'un parti appelé à un appui croissant de l'électorat et à la prise du pouvoir en 1976, il dut sacrifier beaucoup de la pureté de son idéal.

Puisque jamais plus de vingt pour cent de Québécois n'ont favorisé la souveraineté complète, le nationalisme québécois doit nécessairement se situer en deçà de cet idéal. Il n'est donc pas incompatible avec un certain canadianisme. En affirmant bien haut leur identité collective, en se donnant un État national bien à eux, les Québécois veulent continuer de manifester une certaine allégeance à l'État fédéral. Ce paradoxe s'est exprimé régulièrement par un appui massif à la présence de francophones à Ottawa au moment même où les gouvernements québécois étaient élus à partir de plates-formes nationalistes ou tout au moins se devaient d'élaborer des politiques nationalistes.

Peut-être ce paradoxe se résout-il dans une réalité qu'on n'a guère soulignée au cours de ces années de nationalisme. C'est que, à bien des égards, la Révolution tranquille a contribué à introduire le Québec dans la modernité nord-américaine et a rendu les Québécois plus aptes à partager des valeurs avec les autres Canadiens et les a en quelque sorte intégrés davantage au Canada. Qui pourrait nier que les Québécois connaissent mieux le Canada anglais aujourd'hui qu'en 1960, voyagent davantage à travers le pays et que leur mode de vie est moins différent de celui des Canadiens anglais qu'il l'était il y a vingt-cinq ans ?

Il n'est pas contradictoire que le nationalisme accompagne cette réalité. Au contraire, l'aspiration nationaliste peut bien être une sorte de réaction à l'intégration qu'on veut compenser, sans la rejeter tout à fait, par une affirmation plus intense de l'identité collective.

Dans cette perspective, la construction d'un réseau de communication québécois ne doit pas être vue comme une façon d'annihiler toute forme d'intégration à un ensemble plus grand mais de faire en sorte que l'ouverture aux autres puisse se réaliser selon les voies qui permettent aux Québécois francophones de s'exprimer tels qu'ils sont, sans devoir renoncer à leur propre culture.

Tout s'est donc passé comme si les Québécois entendaient jouer sur deux plans: un renforcement du pouvoir québécois, une vocation nationale attribuée à l'État québécois; mais aussi une sorte de bouée de sauvetage au niveau fédéral, au cas où les choses iraient trop mal à Québec. Le nationalisme québécois s'est accomodé, non pas du statu quo de la Confédération, mais d'une espérance qu'un État national du Québec puisse exister au sein d'une Confédération canadienne décentralisée.

Un nationalisme envahissant

Le nationalisme québécois n'a pas été qu'une réponse aux empiétements du pouvoir fédéral. Il s'est manifesté à tous les niveaux de la société et il devenait peut-être inévitable qu'il se manifeste au moment même où la société québécoise subissait les transformations profondes qui remettaient en question les traditions les plus tenaces. C'est d'ailleurs parce que d'anciennes solidarités s'écroulaient que le nationalisme moderne est apparu.

Dans cette perspective, le nationalisme peut être envisagé, au Québec comme ailleurs, comme une réaction au stress provoqué par la modernisation des structures sociales. À l'intérieur de ces nouvelles structures anonymes, l'individu, habitué à un entourage familier et réconfortant, se sent déboussolé et éprouve le besoin de renouer contact, d'une nouvelle façon, avec la tradition. Le nationalisme lui permet de redéfinir son enracinement sans pour autant lui faire renoncer aux avantages de la modernisation. Ainsi, par exemple, on peut se trouver à la fois devant un appareil de télévision et se plaire à l'évocation du folklore québécois, passer une soirée à la Place des arts de Montréal et replonger dans un passé révolu en applaudissant aux chansons de Gilles Vigneault. Ce n'est donc pas par hasard que les artistes québécois ont exprimé avec une ferveur nouvelle et avec une constance presque universelle l'aspiration du Québec à la souveraineté. Par la magie des mots, de la musique ou des formes, ils ont entretenu, avec plus de vigueur encore que les politiciens, l'identité collective d'un peuple en mal de croissance. Ils répondaient sans doute à des sentiments profonds de la population québécoise et conféraient par là au nationalisme une authenticité qu'on ne trouvait pas chez les leaders politiques. On peut toujours accuser ces derniers de manipuler les masses et de mettre le nationalisme au service de leurs ambitions. Il est plus difficile de porter la même accusation envers les artistes.

D'ailleurs, au-delà d'un ordre politique quasi omniprésent, le nationalisme a été à l'oeuvre presque partout dans la société québécoise, à l'école, dans les syndicats, dans l'économie, dans les associations à but non lucratif. Partout, on retrouvait la même conscience d'être Québécois, de construire une société originale en Amérique du Nord.

Au sein de la plupart des organisations canadiennes, qu'elles soient d'ordre académique, sportif, commercial, technique, sont nées des ailes québécoises revendiquant une sorte de statut particulier au nom d'une manière proprement québécoise de penser et de faire les choses. Comme au plan politique, on ne désirait pas le plus souvent couper tous les liens avec la structure canadienne. Et, dans la plupart des cas, des formules de compromis ont été inventées permettant aux Québécois de se donner une double allégeance. On pouvait presque toujours être à la fois membre de l'association canadienne et d'une nouvelle organisation québécoise francophone. Rarement la bilinguisation des grandes associations a satisfait aux exigences des Québécois. On a voulu d'abord travailler en français entre Québécois et ensuite s'associer aux anglophones le plus souvent dans leur langue.

Le nationalisme a été plus fervent, plus sonore, plus intense chez les jeunes que dans tout autre groupe. Les étudiants, en particulier, introduits tout à coup dans les grandes structures anonymes des polyvalentes, des cégeps et des universités géantes, se sont accrochés passionnément à l'idéal nationaliste qui leur permettait de découvrir une nouvelle solidarité et une raison d'être au milieu des bouleversements que subissait leur curriculum. De plus, il leur était possible de contester, de se révolter tout en étant nationalistes, ce qui aurait été à peu près impensable pour leurs parents à une époque où le nationalisme était presque indissociablement lié au conservatisme.

Car le nationalisme québécois nouvelle vague pouvait fort bien, sans se renier, épouser les idées les plus à gauche. À la grande stupeur de l'équipe de la revue *Cité libre* qui, au cours des années cinquante, avait associé sa remise en question des institutions au rejet du nationalisme, la rédaction de *Parti pris* devançait ses aînés de plusieurs coudées vers la gauche et donnait en même temps à la révolution qu'elle prônait une couleur nationaliste. On inventait — ou on cherchait à inventer — un marxisme à la québécoise à l'instar des néomarxistes européens. Une opération bien illusoire, il faut le dire, en terre d'Amérique.

Le nationalisme québécois n'a pas été monopolisé par la gauche. Bien au contraire, si l'on considère par exemple l'idéologie qui prévalait au sein des sociétés Saint-Jean-Baptiste ou encore à l'assemblée des États généraux du Canada français (où le virage québécois a été effectué de façon fort significative vers 1967), on demeure persuadé que le nationalisme ouvrait largement ses portes à la droite. Mais il était devenu possible d'être à la fois de gauche et nationaliste. En fait, le nationalisme québécois, comme la plupart de ses contreparties contemporaines, voulait transcender les clivages idéologiques et rassembler toutes les énergies d'un peuple.

On ne pouvait non plus accuser de bonne foi et en connaissance de cause le mouvement national d'engendrer une sorte d'isolationnisme ou de fermeture de la société québécoise. C'est plutôt le contraire qui était vrai. C'est à la faveur d'une ouverture au monde contemporain que le néo-nationalisme québécois est né. Les premiers indépendantistes s'appuyaient sur la décolonisation à l'échelle mondiale pour faire valoir leur doctrine. Le gouvernement québécois affirmait sa responsabilité nationale au moment même où il se souciait d'établir des liens avec d'autres régions du monde. Les deux phénomènes se sont même renforcés et stimulés l'un l'autre. C'est en découvrant le monde que les Québécois ont éprouvé le besoin de se donner une identité et c'est en désirant affirmer cette identité qu'ils ont voulu occuper le champ des relations internationales. C'est d'ailleurs au niveau de l'extension des compétences de l'État québécois à la sphère internationale que le conflit Ottawa-Québec s'est fait le plus virulent.

Ainsi donc le nationalisme québécois s'était alimenté à tout ce qui lui permettait de répondre aux accusations qu'on lui portait. Il avait dépassé le conservatisme inhérent à la pensée nationaliste canadienne-française, il se manifestait au-delà des murs d'une société fermée, il accompagnait et renforçait tout ce qu'on s'était habitué à considérer comme un dépassement de l'idéologie nationaliste. Il avait même évacué, au moins dans sa logique interne, sinon dans les mentalités, la notion d'ethnicité qui menace toujours de glisser vers le racisme. C'était là un changement spectaculaire mais, peut-être en raison même de son apparition plutôt fulgurante, le nationalisme québécois a été aux prises avec un certain nombre d'ambiguïtés qu'il n'est pas arrivé à résoudre tout à fait. Ces ambiguïtés feront l'objet du chapitre suivant.

CHAPITRE 8

Ambiguïtés québécoises

On a souvent accusé les Québécois, au cours de ces années d'effervescence nationaliste, de se replier sur eux-mêmes, de rétrécir leurs horizons, d'ériger une muraille autour de la forteresse québécoise. Ces accusations étaient, en bonne partie, mal fondées. Comme on l'a vu plus haut, les Québécois ne s'étaient jamais plus ouverts au monde, à la vie internationale que depuis 1960. Ils n'avaient jamais autant voyagé, communiqué avec l'extérieur. Même s'ils étaient appliqués à construire une société moderne à leur image sur le territoire québécois, ils s'intéressaient en même temps plus que jamais à ce qui se faisait ailleurs. Il est vrai que leur nationalisme n'incluait plus les Canadiens français vivant à l'extérieur du Québec de la même façon qu'autrefois ; mais il n'est pas sûr du tout que cette affirmation d'une nouvelle identité québécoise n'ait pas été bénéfique aux minorités francophones du Canada.

On ne saurait dire cependant que les Québécois soient parvenus à se détacher tout à fait de l'ethnocentrisme qui était le propre du nationalisme canadien-français. La dynamique propre au nationalisme québécois entraîne vers une société pluraliste. Mais, au moment même où ce nationalisme se répandait partout au Québec, les Québécois demeuraient fort ambigus dans leur comportement vis-à-vis des communautés minoritaires déjà installées sur le territoire et dont le statut n'a jamais été défini de façon très claire: les anglophones, les divers groupes ethniques issus de l'immigration et les autochtones qui avaient peuplé le territoire québécois bien avant les Français.

Un autre type d'ambiguïtés, c'est celui des partis politiques à l'endroit du nationalisme. La prétention des partis à occuper tout le champ des intérêts nationaux est bien connue. Cette prétention a atteint des proportions inusitées quand le Parti québécois a voulu, pour ainsi dire, arracher le nationalisme au Parti libéral qui s'en était érigé le dépositaire de 1960 à 1966 et à l'Union nationale qui s'en était enveloppée sitôt qu'elle revint au pouvoir en 1966. Cela a eu pour effet de réduire cette dernière formation à un statut de tiers parti et de pousser le Parti libéral vers le rôle de défenseur du fédéralisme. Le P.L.Q. n'a jamais voulu être que cela et n'a jamais renoncé tout à fait au nationalisme. En contrepartie, le P.Q. a été aux prises avec d'interminables hésitations quant à son objectif de souveraineté et quant au nationalisme de la majorité des Québécois.

Voilà donc cinq types d'ambiguïtés qui n'ont pas peu contribué à affaiblir le mouvement nationaliste québécois. Les attitudes de la majorité face aux trois minorités et les hésitations de deux grands partis sont donc des problèmes sur lesquels il convient de s'arrêter.

Québécois anglophones

J'entends ici par anglophones tous ceux qui utilisent la langue anglaise comme langue d'usage dans leurs rapports les plus fréquents et les plus spontanés. Ce sont ceux qui fréquentent des institutions anglophones. Cette catégorie inclut un grand nombre de personnes qu'on se plaît souvent à appeler des allophones parce que leur langue maternelle (ou celle de leurs parents) est une langue autre que l'anglais. Des gens d'origines ethniques diverses mais qui sont totalement intégrés au milieu anglophone et qui entretiennent le plus souvent le même genre d'attitude que ceux dont la langue maternelle est l'anglais, pour la bonne raison qu'ils sont soumis à un même processus d'acculturation.

Dans la lutte aux visées du nationalisme québécois, on a souvent cru bon de se poser en deux groupes, anglophones et allophones pour les besoins de la stratégie, alors qu'en réalité les Schmidt et les Smith, par exemple, faisaient partie, à toutes fins pratiques, de la même communauté, étaient animés par la même idéologie. Il sera question plus loin des communautés culturelles qui se distinguent vraiment du milieu anglophone pour n'avoir pas été acculturées par ce milieu.

Un autre mythe doit être évacué, celui de la générosité de la majorité francophone à l'endroit de la minorité anglophone. Il est vrai que les anglophones québécois constituent une des minorités les mieux établies du monde entier. Un million de personnes avec un réseau scolaire complet contrôlé par des anglophones, trois universités, plusieurs hôpitaux, un grand quotidien, beaucoup d'autres publications, stations de radio et de télévision en nombre beaucoup plus considérable que ne le permettrait la stricte proportion démographique, et des institutions publiques et privées de toutes sortes. Voilà un dossier impressionnant, enviable. Mais il faut bien dire que rien de tout cela n'a été accordé par la majorité. Les anglophones du Québec, depuis la conquête, se sont fait leur place et se sont imposés, d'abord en utilisant le pouvoir colonial, ensuite à la faveur du pouvoir de la majorité du pays canadien. Si les francophones n'ont pas modifié cette situation, c'est peut-être un peu parce qu'ils ne le voulaient pas, c'est surtout parce qu'ils ne le pouvaient pas.

Ceci dit, posons la question centrale. Les anglophones sont-ils oui ou non des Québécois exactement au même titre que la majorité francophone? En droit, et si l'on ne tient compte que de la dynamique du nationalisme québécois, il faut répondre oui. Déjà, les Patriotes des années 1830 ne refusaient pas d'intégrer les anglophones à la nation canadienne. Les anglophones récalcitrants s'identifiaient comme des Britanniques. Si le Québec est un territoire sous la juridiction d'un gouvernement, il faut bien dire que tous ceux qui habitent ce territoire, qui sont régis par ce gouvernement, sont des Québécois à part entière.

En pratique toutefois, nous sommes vraiment en présence de «deux solitudes» pour ne pas dire de deux peuples. Deux communautés dont les prétentions se sont trouvées irréconciliables. Les anglophones se sont longtemps refusés à devenir une minorité. Les francophones n'ont invité les anglophones à bâtir avec eux le Québec moderne que du bout des lèvres, sans grande conviction. Si donc les anglophones ne se sont pas appelés Québécois, c'est parce qu'ils ne l'ont pas voulu; c'est aussi parce que les francophones ne l'ont pas vraiment désiré.

Les anglophones du Québec n'ont jamais même songé à concevoir leur appartenance dans le cadre du territoire québécois. Ils ont été d'abord, comme on l'a vu plus haut, des Britanniques. Ils sont devenus des Canadiens à mesure qu'ils bâtissaient ce grand pays. C'est en effet à partir de Montréal, longtemps la métropole, que le Canada moderne a été conçu et construit. C'est à Montréal que les grandes banques se sont installées pour financer le réseau ferroviaire transcanadien. Montréal devint le centre de ce réseau, comme elle était aussi, grâce à ses installations portuaires, le lieu de transit entre l'Ouest du pays et l'Europe. Les anglophones montréalais avaient donc raison de s'identifier au pays. Ils ont même été les plus Canadiens des Canadiens.

On comprend, dans ces circonstances, qu'ils ne se soient pas identifiés au Québec, bien qu'ils y avaient des racines et s'intéressaient à son développement. Ce territoire était canadien, toujours relié à ce que l'historien Creighton a fièrement appelé l'Empire du Saint-Laurent. Non seulement ces anglophones ont-ils ignoré la culture canadienne-française, ils l'ont en général souverainement méprisée, reprenant, au cours de plus d'un siècle, le diagnostic de Lord Durham.

Leur attitude n'a pas été sans rappeler celle des entrepreneurs coloniaux. Il est vrai que les Canadiens français n'ont pas été misérablement exploités comme les indigènes dans les colonies européennes. Mais n'est-ce pas un comportement colonial que de se refuser à apprendre la langue de la majorité, de considérer la culture de cette majorité comme arriérée, d'utiliser cette population surtout comme une main-d'oeuvre à bon marché? Ce comportement n'a pas été cruel ni sadique, mais il entretenait les classes qui l'adoptaient dans un inévitable complexe de supériorité.

De là à se persuader que jamais les Canadiens français n'arriveraient à prendre le contrôle des affaires dans la ville de Montréal ou que leur prétention à cet effet invitait au désastre, il n'y avait qu'un pas qui fut souvent franchi. Les anglophones montréalais se sont donc recroquevillés, quand ils ne quittaient pas, au lieu de chercher à comprendre le changement et à s'y adapter. Comment expliquer autrement qu'encore au début des années soixante-dix, après toute la turbulence du mouvement nationaliste des années précédentes, une bonne majorité d'anglophones soient demeurés unilingues? Cette mauvaise volonté est bien la raison majeure qui a motivé les gouvernements québécois à légiférer en matière de langue. Si Montréal avait été vraiment bilingue, dans le sens où la minorité aurait utilisé couramment la langue française, une législation aurait-elle été nécessaire?

Mais les francophones, de leur côté, ont aussi fait preuve de mauvaise volonté, du moins de maladresse évidente. Très peu de personnes parmi les nationalistes québécois (et même l'ensemble de la population francophone) se sont donné la peine de reconnaître la profondeur de l'enracinement de plusieurs anglophones au moins dans la ville de Montréal. Les élites québécoises ont souvent eu tendance à considérer la présence des anglophones au Québec comme une sorte d'accident de l'histoire. Pourtant, dans un certain sens, des anglophones ont pu être plus profondément attachés à la ville de Montréal que ne l'ont été les Canadiens français. Il suffit de jeter un coup d'oeil sur l'architecture de certaines parties de la ville, en particulier du centre-ouest, pour constater à quel point les Anglais et les Écossais ont laissé leur marque sur la métropole. Il est bien vrai que Montréal est la deuxième ville française au monde mais on ne lui enlèvera pas son caractère anglais sous peine d'appauvrir considérablement son héritage. Il y avait donc quelque chose d'aberrant et d'artificiel à vouloir faire, envers et contre tous, une ville unilingue française de ce territoire où vivent près d'un million d'anglophones. Il fallait peut-être cependant proclamer l'unilinguisme pour en arriver au bilinguisme en pratique. Mais il faudra bien finir par admettre que Montréal, ville carrefour, centre international, est irrémédiablement vouée à être bilingue.

La législation linguistique, en dépit de sa fondamentale nécessité, contenait des clauses un peu ridicules et très artificielles comme l'obligation de donner un nom français à un école anglaise («West Hill High School» devenant «École secondaire West Hill») ou d'afficher en français dans une librairie anglophone. Les anglophones ont été prompts à exploiter ces incongruités, à les observer parfois à la lettre pour en faire apparaître le ridicule. Il n'est pas sûr d'ailleurs que l'Office de la langue française se soit toujours attaqué à l'essentiel. On a poursuivi une boutique de ski très fréquentée par des touristes anglophones pour avoir affiché en anglais tandis qu'il est encore impossible de se faire servir en français dans certains petits commerces de Côte-des-Neiges, à moins d'un kilomètre de l'Université de Montréal.

Si ce dernier exemple a quelque chose de particulièrement odieux après vingt-cinq ans de nationalisme québécois, huit ans d'existence de la Charte de la langue française, il faut bien dire qu'il est exceptionnel. Dans l'ensemble, un immense progrès a été réalisé. Les services sont maintenant accessibles en français à peu près partout au Québec et même à Montréal. Les anglophones acceptent d'utiliser la langue française de bonne grâce. Ceux parmi les jeunes qui demeurent au Québec pour y faire carrière s'intègrent assez bien à la société francophone sans pour cela renoncer à leur langue et à leur culture. Un grand nombre de ces jeunes anglophones, dit-on, vont même se dire Québécois d'abord, Canadiens ensuite.

Il reste que l'équilibre linguistique de Montréal, étant donné sa situation en Amérique du Nord, si près des États-Unis et de l'Ontario, sera toujours précaire. Il s'en faudrait de peu, un relâchement de la vigilance des francophones, une certaine indifférence des jeunes, pour qu'on revienne au climat d'autrefois: unilinguisme des anglophones et bilinguisme de la majorité. Si le nationalisme a joué et jouera un rôle en appuyant sur le plateau francophone de la balance, il serait souhaitable aussi qu'on vienne à donner un statut à la communauté anglophone. On ne peut ignorer une minorité d'une telle importance sans aller à l'encontre non seulement de la justice élémentaire mais aussi de l'intérêt bien compris de la majorité.

Le multiculturalisme québécois

Tout aussi importants sont les minorités ethniques, les immigrants et ceux qui ne sont pas tout à fait intégrés à l'une ou l'autre des communautés linguistiques. Si l'appartenance québécoise n'est plus définie en raison de l'ethnicité, le Québec moderne ne peut être qu'une société francophone pluraliste et multiculturelle.

Ici aussi, la réponse à la question de l'identité québécoise demeure ambiguë. La plupart des Québécois francophones vous diront que Monsieur X d'origine ethnique Y est bel et bien québécois mais souvent après un moment d'hésitation. Il s'en trouvera quelques-uns pour répondre que non: «Monsieur Untel n'est pas Québécois, il est Vietnamien...». Ou encore dans le langage courant on emploie fréquemment le mot québécois dans un sens étroitement ethnique. On dit «québécois» mais on pense «canadien-français». Un Haïtien me confessait que, dans un milieu anglophone, on ne référait jamais à lui comme à un Haïtien, on lui demandait rarement où il était né. Parmi les francophones, par contre, cette dernière question lui était fréquemment posée et on lui collait régulièrement l'étiquette de son origine. Cette attitude n'est généralement pas malveillante mais elle est bien typique d'une communauté qui vient à peine de sortir d'une sorte de monolithisme ethnique.

Les Canadiens français n'avaient à peu près pas de tradition d'accueil des autres groupes ethniques. Conscients d'être eux-mêmes des minoritaires, ils s'étaient habitués à voir tout ce qui venait de l'extérieur (ou à peu près) comme une menace à leur intégrité nationale. Or, voici que, en l'espace d'une génération, ils en viennent à se définir comme une majorité et à exiger que les immigrants s'intègrent à cette majorité plutôt qu'à la minorité anglophone. Il était plus facile de formuler l'exigence que de changer la mentalité ancienne. Cela explique bien la gaucherie et la maladresse dont ont souvent fait preuve, avec la meilleure volonté du monde, les Québécois francophones à l'endroit des groupes ethniques. On s'est souvent demandé, par exemple, dans les écoles, surtout après l'entrée en vigueur de la loi 101, comment se comporter avec les enfants dont la langue maternelle n'était pas le français. Alors qu'aux États-Unis et au Canada anglais, l'intégration se poursuivait plutôt allègrement, le processus avait, dans les écoles francophones du Québec, un caractère pénible.

Il est arrivé aussi que des représentants du gouvernement s'adressent à des groupes ethniques en soulignant leur marginalité, en parlant de «leur contribution particulière à la société québécoise», en leur donnant l'impression qu'ils étaient bienvenus mais un peu comme des invités. Les immigrants aiment rarement se sentir désignés, pointés du doigt, ils veulent le plus souvent qu'on oublie leur différence d'origine et être considérés comme Canadiens ou Québécois à part entière. Mais ils ne veulent pas non plus se sentir tout à fait assimilés, ils veulent entretenir des liens avec les autres membres de leurs communautés et conserver certaines traditions de leurs pays d'origine. Il n'est pas facile de concilier ces deux exigences. Il faut dire que d'énormes progrès ont été réalisés, surtout par le ministère québécois des Communautés culturelles. On a enfin compris que le multiculturalisme n'avait rien de menaçant pour l'identité culturelle globale des Québécois pas plus que l'identité canadienne-anglaise n'a jamais été menacée par la diversité des cultures d'origine. Il est impressionnant aussi de voir avec quelle simplicité les enfants d'origine étrangère sont maintenant intégrés à leurs pairs d'origine québécoise dans les écoles et dans les quartiers pluriethniques.

Mais en face d'une majorité québécoise toujours un peu fragile, peu sûre d'elle-même et divisée quant à son orientation politique, des représentants de groupes ethniques ont pu parfois pratiquer un certain chantage. Ceux-là même qui acceptaient d'être intégrés à l'américaine dans le «melting-pot» anglophone se sont plu à reprocher aux francophones de vouloir les assimiler, de pratiquer un nationalisme intransigeant et ethnocentrique. Ils sont allés jusqu'à parler de leur «droit» de fréquenter des écoles anglaises ou d'utiliser à leur gré la langue anglaise. Ils ont revendiqué, ce qu'ils n'auraient jamais osé faire ailleurs, un droit de se joindre à la minorité linguistique (ce qui était évidemment aussi la majorité nord-américaine, sans égard à l'existence collective d'un Québec francophone). Cette situation a été souvent fort embarrassante pour les Québécois qui apparaissaient ainsi, aux yeux de l'extérieur, faire preuve d'une intransigeance plutôt détestable. Un exemple typique de cette fausse représentation, c'est le discours qu'un Mordecai Richler, romancier célèbre et conférencier apprécié, a tenu aux États-Unis. Le personnage, identifié à la communauté juive, a défendu avec amertume, la baisse d'influence de l'anglophonie montréalaise à laquelle il s'était intégré. Il s'est bien gardé de mentionner la discrimination dont étaient autrefois victimes les francophones de Montréal et le bien-fondé de leur nouvelle affirmation linguistique. Mais il a souligné emphatiquement, parfois de façon carrément injuste, les aberrations les plus criantes de la loi 101. «Montréal est devenue une ville morte, disait-il entre autres; on ne s'y retrouve que pour les funérailles», donnant ainsi la nette impression à ses auditoires américaines que les Juifs montréalais avaient quitté la ville en raison d'un antisémitisme dont il n'a jamais pu citer aucun exemple. Devant cette image déformée, les Québécois francophones pouvaient bien rétablir les faits mais pourquoi les aurait-on crus plutôt que Mordecai Richler?

Malgré tout, un nombre croissant de personnes d'origines

ethniques diverses enrichissent la mosaïque québécoise francophone. Certains d'entre eux deviennent même des nationalistes, comme Mme Nadia Assimopoulos, vice-présidente du
Parti québécois. Il est nécessaire que les Québécois francophones s'éveillent de plus en plus rapidement à l'importance
de cette intégration. À l'heure où le taux de natalité des Québécois est dangereusement faible, il est essentiel que le Québec s'enrichisse et se développe à même l'immigration.

Dans ces circonstances, il est tout à fait inacceptable, injuste
et incongru que le système scolaire québécois soit encore confessionnel. La Révolution tranquille a laïcisé la société québécoise à tant de niveaux. Pourquoi faut-il que nos écoles publiques soient encore des écoles catholiques et protestantes? Cela
n'a plus aucun sens surtout dans les grands centres urbains
devenus tout à fait pluralistes. Cela est même une situation
fausse et malheureuse pour les catholiques eux-mêmes qui
voient leur foi religieuse servir d'étiquette superficielle à un
contenu scolaire qui n'est plus confessionnel dans les faits. Que
dire des immigrants qu'on invite à fréquenter des écoles où
ils font figure de marginaux («exemptés» de l'enseignement
religieux) s'ils ne sont pas catholiques? Le plus triste en tout
ceci, c'est que les dirigeants du système protestant eux-mêmes
revendiquent leur statut confessionnel pour préserver une structure qui ressemble bien davantage à un système de caste privilégiée qu'à une profession de foi chrétienne.

La logique du nationalisme québécois ne s'est donc pas
encore totalement imposée, même si le Québec francophone
apparaît aujourd'hui beaucoup plus divers et, en conséquence,
plus riche qu'il ne l'était avant 1960.

Relations avec les autochtones

Cette logique se serait-elle imposée qu'elle n'aurait pas
résolu, il s'en faut, le problème des relations de la majorité
francophone québécoise avec les populations autochtones. À
l'égard de ces dernières, les nationalistes québécois ont d'abord

fait preuve d'une inconscience presque totale jusqu'au milieu
des années soixante-dix. Les premiers occupants du sol québécois ont été ignorés dans la définition nouvelle du Québec.
Puis, quand les autochtones firent entendre leurs revendications,
les aspirations de la majorité francophone sont souvent apparues incompatibles avec celles des populations amérindiennes
et inuit. Plusieurs traits du nationalisme québécois allaient à
l'encontre d'un dialogue constructif entre la majorité québécoise et la minorité autochtone.

Comme on l'a vu, c'est sous le signe de la modernité, c'est-
à-dire de l'industrialisation, du progrès technologique, des communications plus intenses, que s'est manifesté le nationalisme
québécois. Les Québécois croyaient répondre à une nécessité,
à une tendance inéluctable et irréversible en s'adaptant à ce
monde moderne. Ils croyaient tout naturellement que la modernisation devait atteindre tôt ou tard tous les humains, quels
qu'ils soient. Cela ne les incitait pas à comprendre et à respecter les prétentions des autochtones à maintenir des traditions jugées dépassées par la science et la technologie
modernes.

De plus, le nationalisme québécois a été résolument étatiste.
Il s'est inscrit dans la tradition européenne de l'idéologie de
l'État-nation. Tout en demeurant bien en deçà du jacobinisme,
la structure étatique québécoise a été en partie calquée sur le
modèle français. Pour certains grands commis du nouvel État
québécois, la centralisation outaouaise n'avait d'autre défaut
que d'être dirigée par une majorité anglophone. L'idéal d'une
souveraineté québécoise une et indivisible a hanté beaucoup
d'esprits au sein de l'appareil gouvernemental et parmi les élites. Dans la mesure où cet idéal a présidé au dialogue avec
les Amérindiens, soucieux d'aménager leur propre souveraineté selon une toute autre conception, il n'est pas étonnant que
le dialogue soit demeuré stérile.

Le nationalisme étatiste, à l'instar de tout le courant nationaliste issu de la Révolution française, a donné lieu, comme
à une suite naturelle, à l'établissement d'une technocratie de
plus en plus puissante et complexe au sein du gouvernement

québécois. Cette technocratie s'est inspirée de modèles dits
«rationnels» de gestion des affaires publiques. Efficacité et rentabilité sont devenus des mots-clés. Les nouveaux mandarins
québécois ont eu tendance à parler en termes d'«économie
d'échelle», d'«analyse coût-bénéfices». Bien sûr, les résultats
des grandes opérations dites «rationnelles» sont demeurées souvent bien en deçà des attentes quand ils n'ont pas démontré
que le système conservait une forte dose d'irrationalité. Mais
la nouvelle mentalité ne prédisposait guère les fonctionnaires
québécois à dialoguer avec les tenants d'une culture animiste.

L'aspect territorial du nouveau nationalisme ne disposait pas
davantage les Québécois à s'entendre avec les autochtones.
Encore ici, la nation québécoise moderne s'est définie selon
un critère courant en Europe depuis la Révolution française:
l'intégrité du territoire. Pour un nationaliste, il existe une sorte
d'osmose entre la population et le territoire. Le mot «pays»
réfère à la fois à la population et au territoire. «Ce pays nous
appartient», dira-t-on spontanément, exprimant par là une sorte
d'évidence: «Nous sommes ici chez nous, ce sol est notre sol,
les richesses naturelles du Québec sont les nôtres». Nous, c'est-
à-dire tous les habitants du territoire québécois pris collecti-
vement, en grande majorité francophones, «nous sommes les
propriétaires de ce territoire». Voilà ce qui s'est dégagé assez
clairement de tout le discours nationaliste québécois, qu'il fût
véhiculé par des hommes politiques, par des poètes ou des
chansonniers.

On chercherait en vain dans ce discours une allusion aux
premiers propriétaires (bien qu'ils n'aient jamais entendu la
propriété au sens de la conception occidentale) de ce territoire,
les Amérindiens. Le discours nationaliste québécois ne con-
naît que deux types de revendication à la propriété de la «terre
de chez nous», celle du conquérant anglophone qui s'exprime
par l'intermédiaire du gouvernement fédéral et de sa conception canadienne de l'intégrité territoriale et celle des Québécois francophones qui veulent être «maître chez nous». L'Amé-
rindien n'est pas à proprement parler méprisé. Il est tout simplement oublié. Il n'est donc pas étonnant que la plupart des

hommes politiques québécois se soient sentis plutôt mal à l'aise face aux revendications autochtones. Après s'être tellement battus pour préserver ce que Duplessis appelait «notre butin», après avoir nationalisé les compagnies d'électricité et s'être enorgueillis de notre première richesse naturelle, cela tombait très mal de se faire dire que, par exemple, le territoire de la Baie James ne nous appartenait pas.

La logique de l'intégration des ethnies à la nation québécoise, si elle doit finir par s'imposer dans le cas des immigrants, demeure un obstacle au dialogue avec les populations autochtones. Contrairement à la plupart des autres ethnies, ces populations entendent conserver entière l'appartenance qui leur est propre. C'est là du moins le message qu'émettent leurs leaders en se refusant à l'intégration.

Il faut donc en conclure que plus le nationalisme québécois se voudra multiethnique, multiculturel et intégrateur à la manière américaine ou canadienne-anglaise, plus il se heurtera aux aspirations des leaders amérindiens et inuit. Il semble bien que ces aspirations aillent dans le sens d'une sorte de statut particulier ou de souveraineté-association. En bonne logique, les Québécois devraient donc être disposés à accorder aux autochtones ce qu'ils réclament eux-mêmes du reste du Canada.

Le dialogue entre Québécois francophones et minorités autochtones deviendra peut-être plus fécond dans la mesure où le nationalisme québécois se transformera sous le signe de la décentralisation et à la faveur du courant écologique. Si le nationalisme allait devenir moins axé sur l'État technocratique, peut-être les Québécois adopteraient-ils plus facilement un langage propre à des échanges fructueux avec les autochtones. Si, de plus, le courant écologique allait introduire une nouvelle conception du territoire *possédant et envahissant* plutôt qu'objet de propriété et de domestication, le désir des autochtones de préserver l'environnement naturel et de résister aux percées de certaines technologies serait peut-être mieux entendu des nationalistes québécois.

Mais, dans l'ensemble, le bilan du nationalisme québécois en ce qui a trait aux populations autochtones est plutôt pitoyable.

Peut-être en raison de la faiblesse numérique et économique de ces populations, elles ont reçu beaucoup moins d'attention que les anglophones et les groupes ethniques.

Que les nationalistes québécois ne soient pas parvenus à se définir de façon satisfaisante à l'endroit des minorités, il ne faut pas s'en étonner outre-mesure. Les grands partis politiques, qui se sont divisé le vote des Québécois depuis 1970, ont été eux-mêmes en proie aux hésitations, aux ambiguïtés et aux divisions dans leurs tentatives d'élaborer une position précise quant au nationalisme ambiant.

Le nationalisme des libéraux

Le Parti libéral du Québec (P.L.Q.), comme on l'a vu plus haut, a été pour ainsi dire investi par les néo-nationalistes à la fin des années cinquante. C'est au sein de ce parti que s'élaborent et se développent les grands thèmes nationalistes de la Révolution tranquille. Les libéraux québécois de cette époque sont tellement soucieux de promouvoir un Québec fort et autonome par rapport à l'État central qu'ils en viennent à se dissocier de l'aile fédérale du parti en se donnant des structures distinctes. Certes, une telle distanciation n'a jamais tout à fait effacé les liens entre les deux niveaux d'action des militants. Mais elle a permis aux libéraux provinciaux de soutenir des thèses que le Parti libéral du Canada répudiait totalement. Les René Lévesque, Paul Gérin-Lajoie, Pierre Laporte, Georges-Émile Lapalme tenaient un langage tout à fait contraire à celui de leurs homologues fédéraux. Le Premier ministre Lesage lui-même a dû s'opposer aux politiques de ses anciens collègues à Ottawa, après qu'ils eurent repris le pouvoir en 1963.

Mais d'autres éléments du parti ne parvenaient pas à s'adapter au nationalisme québécois: par exemple, certains anglophones et certains membres plus traditionalistes ou plus près des milieux fédéraux. À la faveur de la défaite de 1966, ces éléments activèrent une sorte de phénomène de renvoi de l'idéologie nationaliste. Le principal représentant de cette idéologie,

René Lévesque, force l'affrontement au congrès d'octobre 1967. Il propose la thèse de la souveraineté-association au parti qui la refuse et se débarrasse ainsi du plus nationaliste de ses membres. D'autres partent avec lui. Gérin-Lajoie se fait à son tour l'avocat d'une politique de «statut particulier» sans guère de succès.

Quand Robert Bourassa succède à Jean Lesage en janvier 1970, le Parti libéral du Québec n'apparaît plus comme un parti nationaliste. En plus d'avoir été en quelque sorte purgé du nationalisme qui l'avait habité plus tôt, il était amené, de pas sa situation dialectique, à se présenter comme l'antidote à la ferveur nationaliste des années soixante. Le Parti de l'Union nationale, au pouvoir depuis 1966, était devenu le porte-flambeau du nationalisme québécois en s'opposant plus que jamais au pouvoir fédéral et en affirmant les pouvoirs du Québec au plan international. Le Parti libéral faisait la lutte à l'Union nationale en reprochant aux gouvernements de Daniel Johnson et de Jean-Jacques Bertrand d'avoir mené des luttes stériles pour le seul prestige du Québec aux dépens des intérêts bien concrets des Québécois. Robert Bourassa promettait de mettre fin aux guerres de drapeaux, de créer des emplois et de rationaliser l'administration.

Le Parti libéral apparaissait plus encore comme l'ennemi du nationalisme face au Parti québécois qui déjà s'affirmait comme une véritable force politique susceptible de remplacer l'Union nationale dans l'horizon du bipartisme politique au Québec. La politique québécoise était désormais polarisée: au souverainisme péquiste, les libéraux ne pouvaient qu'opposer un fédéralisme orthodoxe. D'autant plus que l'accession d'un Québécois francophone à la tête du Parti libéral du Canada et du gouvernement fédéral a contribué aussi à gagner plus d'un membre du P.L.Q. aux thèses fédéralistes de Pierre Elliott Trudeau.

Pourtant, le poids du nationalisme québécois était tel qu'il allait finir par entraîner dans son orbite même le Parti libéral. La conception d'un Québec relativement fort, d'un État voué au développement de la francophonie nord-américaine et dont les pouvoirs devaient se consolider en fonction de cette mission spéciale, était tellement bien ancrée au sein de l'appareil administratif et dans l'esprit des élites québécoises qu'il devenait impossible de gouverner sans en tenir compte. Cette conception était devenue au Québec une sorte de raison d'État transcendant les oppositions partisanes.

Le Parti libéral de Robert Bourassa n'allait donc pas pouvoir gouverner, après sa victoire d'avril 1970, sans s'inspirer des éléments essentiels du nationalisme québécois dans une sorte de continuité par rapport aux années soixante. Dès 1971, Bourassa s'oppose au rapatriement de la Constitution proposé par Trudeau à la Conférence de Victoria. Il s'opposera encore à un projet constitutionnel fédéral en 1976, provoquant l'ire du Premier ministre Trudeau. En plus de se faire l'avocat de la souveraineté culturelle (voir le chapitre précédent), Bourassa avait encore fait voter la loi 22 établissant le français langue officielle de Québec, s'attirant ainsi la réprobation des anglophones et du gouvernement fédéral. Le Parti libéral s'était aussi engagé, à plusieurs niveaux, à revendiquer un plus grand pouvoir québécois face à Ottawa.

Bien sûr, auprès du Parti québécois, devenu opposition officielle depuis 1973, le P.L.Q. n'apparaît pas comme le haut-lieu de nationalisme québécois. Mais il serait faux de dire que ce nationalisme n'a pas profondément influé sur le parti de Robert Bourassa.

Après la défaite de 1976, face au gouvernement qui prône la souveraineté-association, dans le climat d'effervescence nationaliste au Québec d'une part et d'inquiétude généralisée dans l'ensemble du Canada d'autre part, le P.L.Q. redevient le refuge des fédéralistes. Mais, à compter de 1978, le nouveau chef, Claude Ryan, qui avait plus d'une fois défendu les positions québécoises lorsqu'il était directeur du *Devoir*, qui avait même recommandé de voter pour le P.Q. à l'élection de novembre 1976, n'allait pas évacuer le nationalisme du Parti libéral. Sans doute, Claude Ryan a été amené à diriger les forces du NON au référendum mais son livre beige (si loyal fût-il à la Confédération canadienne) et, plus encore, son opposition au rapatriement de la Constitution opéré par le gouvernement fédéral en 1982, sont des indications de la permanence d'une forme de nationalisme au sein du P.L.Q.

La polarisation qui s'offrait à l'électorat québécois au cours des années soixante-dix n'a jamais vraiment joué. Elle était peut-être plus fictive que réelle. Jamais les électeurs québécois n'ont été invités vraiment à choisir entre le statu quo et le rejet du fédéralisme. Jamais le Parti libéral du Québec ne s'est présenté comme le reflet fidèle des positions du gouvernement fédéral, pas même au moment de la campagne référendaire. Ce parti s'est toujours refusé à laisser au Parti québécois le monopole du nationalisme à l'encontre des prétentions de ce dernier.

Le Parti québécois, de son côté, n'a jamais invité la population à endosser tout de go l'idée d'indépendance du Québec. Ce parti a toujours conservé une certaine couleur fédéraliste, en dépit de son idéal souverainiste. C'est là une ambiguïté dont il ne s'est pas départi.

Le fédéralisme du P.Q.

Le Parti québécois, fondé par René Lévesque en 1968, dans la foulée du Mouvement souveraineté-association lancé en 1967, se situe bien dans une sorte de continuité par rapport à tous ces partis nationalistes qui ont jalonné l'histoire du Québec depuis près de deux cents ans: le Parti canadien devenu patriote au début du 19e siècle, le Parti national de Mercier, le mouvement d'Henri Bourassa, puis l'Action libérale nationale des années trente et le Bloc populaire au cours de la Seconde Guerre mondiale. À l'instar de toutes ces autres formations, le P.Q. a voulu défendre une cause spécifique aux Canadiens français. Ce parti s'est voulu l'incarnation du nationalisme québécois comme le Parti patriote représentait le nationalisme canadien et comme le Parti national, l'A.L.N. et le B.P.C. défendaient un nationalisme canadien-français.

Mais, à bien des égards, le P.Q. est en rupture par rapport à ces autres partis. Contrairement à ceux-ci, sauf peut-être pour le Parti patriote et, dans une certaine mesure, le Parti national de Mercier, le parti de René Lévesque se donne une véritable organisation politique axée sur des objectifs réalistes de conquête du pouvoir. Le P.Q. est sans doute un parti animé par une forte dose d'idéalisme mais il est aussi — et cela correspond bien au pragmatisme de son fondateur — un parti de gouvernement. Il vise avant tout, avant même l'accession du Québec à la souveraineté, qui est l'article premier de son programme, la prise du pouvoir à Québec. Cela n'est pas toujours apparu clairement à tous. Pourtant, dès l'élection de 1970, les visées électoralistes du P.Q. sont évidentes. Elles le sont également en 1973, où déjà le P.Q. ne sollicite un mandat que pour préparer l'accession à l'indépendance, et plus encore en 1976 où le «bon gouvernement» prend le pas sur le souverainisme, de même qu'en 1981.

Autre élément de rupture, par rapport aux autres partis nationalistes: le P.Q. est orienté exclusivement sur le territoire politique québécois. Bien que fortement inspiré par la fierté ethnique, le P.Q. fonctionne dans un cadre pluraliste.

Le Parti québécois, dès sa fondation, a rallié deux grandes tendances. L'une, celle du fondateur lui-même, pourrait s'appeler celle des fédéralistes désenchantés. Ceux qui, de guerre lasse, devant les fins de non-recevoir du gouvernement fédéral, ont voulu forcer l'acceptation d'un nouveau statut québécois dans l'union canadienne par l'accession du Québec à la souveraineté qui devait être aussitôt suivie d'une association économique avec le partenaire canadien. Selon cette tendance, la souveraineté était un *moyen* d'affirmer l'identité québécoise et de faire accéder le Québec au statut qui lui était refusé à l'intérieur de la Confédération canadienne. Cette tendance se situait dans le prolongement du nationalisme de la Révolution tranquille. Elle était toute voisine du slogan de Daniel Johnson: «Égalité ou indépendance».

L'autre tendance, c'est celle des indépendantistes purs, celle du Rassemblement pour l'indépendance nationale (R.I.N.) qui s'est sabordé pour que ses membres se joignent au P.Q. Pour les anciens Rinistes, la souveraineté est une *fin* en elle-même ou du moins un moyen très nécessaire, le seul objectif qui justifiait leur engagement politique. Dès la fondation du parti, ces militants se sont opposés à ce que l'idée d'association économique nécessaire soit accolée à celle de souveraineté. Ce sont eux qui, sous l'influence de Pierre Bourgault, l'ancien chef du R.I.N., dès le congrès d'octobre 1971, proposent que le P.Q. s'engage à déclarer l'indépendance dès la prise du pouvoir.

Cette dernière tendance n'a jamais été que très minoritaire dans la population du Québec. Mais, de temps à autre, elle a dominé les assises du Parti québécois, bien qu'elle ne se soit jamais imposé vraiment. Elle a quand même réussi à donner au P.Q., en conjonction avec la stratégie des ennemis du parti, une image de parti voué à une seule cause: l'indépendance du Québec.

Mais, dans les faits, comme on l'a noté plus haut, plus le P.Q. se rapprochait de son objectif électoral, plus il jouait le jeu du fédéralisme, plus il parvenait à rallier les appuis des nationalistes québécois qui demeuraient sympathiques à une certaine forme de fédéralisme canadien. C'était sûrement le cas au moment de l'élection du 15 novembre 1976. Pourtant, cela n'a pas empêché les indépendantistes à tout prix de célébrer la prise de pouvoir par le P.Q. comme si c'était le premier jour de l'indépendance.

Le P.Q. s'est révélé beaucoup plus habile dans la défense du dossier traditionnel du Québec à l'intérieur du fédéralisme canadien qu'à définir les coordonnées d'une politique de souveraineté. Que de gaucheries dans l'élaboration du projet de politique étrangère d'un Québec indépendant! Le gouvernement du P.Q. n'a-t-il pas ressemblé davantage à celui du nationalisme québécois de la Révolution tranquille qu'à celui d'un pays souverain?

Notons seulement la réaction de ce gouvernement au très fédéraliste rapport du groupe de travail sur l'unité canadienne, dit Pépin-Robarts. C'est l'équipe gouvernementale du Parti québécois qui a manifesté le plus d'enthousiasme à l'endroit des thèses défendues dans ce document. On est même allé jusqu'à dire à Québec que, si Ottawa mettait ces recommandations en pratique, on songerait sérieusement à remettre en question la politique souverainiste.

Le livre blanc sur la souveraineté-association lui-même, publié avant le référendum, n'est pas dénué d'un esprit fédéraliste, comme on le verra au chapitre suivant.

Le Parti québécois a rassemblé en lui-même des éléments contradictoires. Dans l'euphorie des succès de ce parti, ces contradictions ont été plus ou moins résorbées. Mais elles ne disparaissaient pas pour autant et laissaient toujours entrevoir des possibilités de scission. Le P.Q. a voulu être à la fois un parti politique axé sur la prise du pouvoir, le lieu de rassemblement du nationalisme québécois et l'incarnation du mouvement indépendantiste. Or, jamais les Québécois n'ont voulu majoritairement, au cours de ces années, que leur gouvernement accède à la souveraineté. Jamais le nationalisme majoritaire des Québécois n'a été souverainiste. Toute une génération de Québécois a rêvé de souveraineté au point de l'entrevoir prochaine comme une sorte de mirage tandis que tous les sondages révélaient qu'une majorité de la population demeurait attachée à l'idéal du fédéralisme renouvelé. C'est là sans doute la plus tragique des ambiguïtés auxquelles fut soumis le nationalisme québécois.

Ce nationalisme a toujours joué contre la polarisation que semblait offrir la scène politique. Il a rapproché d'un certain centre autant le Parti libéral que le Parti québécois. Mais il n'a pu empêcher la tenue d'un référendum qui a été perçu comme un règlement de compte entre deux tendances extrêmes. La chapitre suivant sera consacré à cet impossible dilemme référendaire et à ses suites.

CHAPITRE 9

Le référendum et ses suites

La polarisation excessive des grandes orientations politiques offertes à la population québécoise est apparue sous son jour le plus tragique au moment du référendum et des manoeuvres auxquelles il a donné lieu. Tout au long des années soixante-dix, le Parti libéral de Robert Bourassa et de Claude Ryan avait pu être bien autre chose que le reflet de l'idéologie centralisatrice des libéraux fédéraux. Le Parti québécois avait pu se présenter devant l'électorat comme une formation nationaliste devant assurer un bon gouvernement provincial, soucieux de consolider les droits et pouvoirs du Québec dans la Confédération canadienne. En somme, de part et d'autre, on avait échappé à la grande question posée par la polarisation des orientations : oui ou non à la souveraineté du Québec. Cette question, à laquelle la majorité des Québécois ne voulait pas répondre, revêtait un caractère d'autant plus déchirant qu'elle appelait à faire un choix entre les deux leaders politiques francophones les plus prestigieux, les plus talentueux de cette génération, Pierre Trudeau et René Lévesque. Plusieurs s'étaient déjà rangés derrière l'un ou l'autre des deux chefs admirés et vénérés. Mais jamais une échéance électorale n'avait forcé les Québécois à les choisir l'un contre l'autre. Combien d'ailleurs appuyaient l'un au fédéral, l'autre au provincial ou tout au moins conservaient une secrète connivence avec celui qu'ils n'appuyaient pas! Jamais Trudeau et Lévesque ne s'étaient affrontés directement. L'affrontement référendaire, on ne peut plus dramatique, pressait les Québécois de faire un double choix impossible. Trancher le débat entre deux hommes politiques qu'ils admiraient tous les deux. Choisir entre deux orientations qu'ils répudiaient toutes les deux. Car la situation était à ce point contradictoire et cocasse : MM. Trudeau et Lévesque étaient de loin les deux personnages les plus populaires tandis que les idéologies qu'ils soutenaient ne recevaient l'appui que de portions minoritaires de la population.

Ce référendum sur la souveraineté-association est donc un moment fascinant de l'histoire du nationalisme québécois. Il s'est révélé aussi, sans qu'on l'ait voulu vraiment, un catalyseur de divisions à l'heure même où les Québécois auraient eu besoin de se rassembler autour d'un projet commun pour consolider les acquis des vingt années précédentes. Chose étrange, cette année 1980, qui devait être un grand moment du nationalisme québécois, allait signaler le début d'une sorte de démantèlement des solidarités nationales.

Pourquoi cela s'est-il passé ainsi? Dans une certaine mesure, le faux affrontement était peut-être inévitable, comme conséquence d'une fausse polarisation. Je persiste à croire toutefois qu'il aurait pu être évité. Cette croyance demeure bien théorique, comme tous les «si» de l'histoire passée. Mais elle se veut aussi instructive en ce sens qu'elle interpelle l'expérience et dégage les leçons qu'on peut en tirer.

Voyons donc comment le nationalisme québécois s'est heurté au problème de l'objet du référendum, à la formulation de la question et à la conduite de la campagne. Ce chapitre se poursuivra par une analyse des événements qui ont suivi et des circonstances de l'accord constitutionnel de 1981.

L'objet du référendum

À première vue, l'objet de ce référendum, promis par le

Parti québécois au moment de la campagne électorale de 1976, était très clair. Il devait porter sur la souverainté-association et sanctionner, dans l'éventualité d'un OUI, le déclenchement du processus qui mènerait le Québec à la souveraineté politique. Le P.Q., à la suite d'un congrès houleux en 1974, s'était engagé formellement à dissocier la prise du pouvoir et l'accession à la souveraineté. Cet engagement était bien logique et conforme à la distinction nette entre deux objectifs du parti et deux mandats distincts que la population pouvait lui confier : la direction d'un gouvernement et la déclaration de l'indépendance nationale. Pourtant, cette politique n'avait été adoptée qu'au prix de l'hostilité de l'aile minoritaire «orthodoxe» (anciens adhérents au R.I.N.) à l'endroit de l'aile majoritaire plus pragmatique. La politique baptisée «étapiste» était vue par plusieurs comme une trahison de l'idéal du parti. Déjà le parti était divisé entre son souci de s'adresser à l'ensemble de la population québécoise et sa fidélité aux volontés de ses membres. Ce qui apparaissait normal à la population provoquait de vives dissensions au sein du parti.

En d'autres termes, le P.Q. était tiraillé entre deux conceptions du nationalisme québécois, l'une axée essentiellement sur l'idéal souverainiste, l'autre qui cherchait à rassembler toutes les volontés d'affirmation de l'identité nationale, quelles qu'elles soient. L'une traduisait un idéal dans toute sa pureté, sa limpidité, parfois aussi dans une certaine naïveté. L'autre correspondait à la préoccupation de rejoindre une majorité de Québécois et de faire avancer la cause du Québec dans les circonstances bien concrètes où il se trouvait.

Suivant la première conception, le référendum ne pouvait porter que sur l'idéal. Même si les sondages révélaient très clairement que cet idéal n'était partagé que par une minorité plutôt faible de Québécois, il fallait continuer d'espérer envers et contre tout qu'une majorité se dessinerait bientôt et risquer même une défaite au nom de l'idéal. C'était le «crois ou meurs», l'indépendance ou rien du tout.

Les tenants de la seconde conception devenaient de plus en plus nombreux à mesure que l'échéance approchait et qu'on se rendait compte qu'un référendum portant simplement sur la souveraineté, même avec le trait d'union de l'association, était une entreprise suicidaire. Pour eux, il fallait éviter la défaite à tout prix et concevoir une stratégie victorieuse en amenuisant la question du référendum.

Pareille stratégie ne pouvait que provoquer de vives critiques de la part des indépendantistes irréductibles. Ces derniers furent rejoints par ceux qui craignaient une question amenuisée pour des raisons diamétralement opposées. Les membres du gouvernement fédéral de M. Trudeau et tous ceux qui s'opposaient au nationalisme québécois revenaient souvent sur la nécessité, à leurs yeux, de poser une question très simple et très radicale. «Oui ou non à la sécession, à l'indépendance du Québec», telle leur apparaissait la seule façon acceptable d'envisager l'enjeu du référendum. L'avantage d'une telle question pour les fédéralistes centralisateurs était bien évident. Compte tenu des sentiments connus de la majorité de la population, cette question leur assurait une victoire certaine et elle leur évitait de faire face à cette majorité québécoise opposée à leur politique constitutionnelle.

La thèse de la stratégie victorieuse apparaît la seule défendable si l'on considère ce type de référendum, dans une société où une telle consultation est exceptionnelle, comme une entreprise vouée à accorder une sanction solennelle à une tendance déjà bien évidente dans la population. Un référendum de cette nature est fait pour être gagné.

L'objet de la consultation devait donc être qu'une majorité de Québécois puisse y répondre oui. Ce référendum portant sur l'avenir de la nation québécoise devait être une sorte de baromètre du nationalisme québécois, une confirmation unique de l'aspiration des Québécois à se constituer en société distincte et à faire reconnaître à leur gouvernement le minimum de souveraineté nécessaire à l'accomplissement des tâches essentielles reliées au développement d'un peuple autonome.

C'était là toutefois un objet qui demeurait bien en deçà de la souveraineté-association prônée par le Parti québécois. Pour suivre cette voie, le gouvernement aurait dû d'abord la sou-

mettre aux militants du P.Q. et soulever, par le fait même,
la colère et les objections des radicaux, voire d'une majorité
de membres du parti. René Lévesque jouissait cependant d'une
autorité et d'un prestige plus forts encore qu'en 1974, au
moment où il faisait accepter la thèse de l'étapisme. Il n'est
pas sûr qu'il n'aurait pas réussi à persuader ses militants de
se contenter d'un renforcement du pouvoir québécois et de
retarder encore l'échéance de la consultation sur la souveraineté complète. C'était pourtant l'évidence même que la majorité de la population québécoise n'était pas prête à dire oui
à l'indépendance.

Je me permets de reproduire ici un extrait d'un article que
j'écrivais en 1978 dans cette veine :

> Même un indépendantiste irréductible devrait accep-
> ter provisoirement ce fait que la majorité de ses com-
> patriotes ne s'est pas encore réconciliée avec l'idée
> de souveraineté politique totale. Pourquoi ne pas
> prendre cette population au niveau où elle est, quitte
> à revenir plus tard lui proposer d'aller plus loin?
>
> La majorité des Québécois s'accorde pour consta-
> ter que le système actuel est inacceptable et que le
> Québec doit enfin conquérir ce à quoi il aspire depuis
> dix-huit ans. Ces aspirations sont bien concrètes et
> ont été énumérées souvent. Il suffirait de les repren-
> dre, de leur donner un caractère solennel qui ferait
> signifier clairement et définitivement au gouvernement
> fédéral que, cette fois, les Québécois ne se conten-
> teront pas de demi-mesures ni de promesses.
>
> On me dira qu'il n'y aurait là rien de nouveau,
> puisque tous nos gouvernements ont déjà demandé
> tant de fois les mêmes choses sans succès. Je crois
> qu'il y aurait là au contraire quelque chose de très
> nouveau. Nous indiquerions enfin, de façon claire et
> solennelle, que non seulement nous désirons ces chan-
> gements mais qu'une résistance du gouvernement fédé-
> ral nous serait absolument intolérable. Jamais aupa-

ravant nos gouvernements ne sont allés jusqu'au bout de leurs revendications. Le chef de l'opposition, M. Ryan, pour sa part, tout en déclarant qu'il souhaite une sorte de statut particulier pour le Québec, ne nous dit pas ce qu'il fera s'il ne l'obtient pas. M. Daniel Johnson lançait, il y a dix ans, l'ultimatum «Égalité ou indépendance», sans jamais persuader ses interlocuteurs qu'il croyait vraiment à ce qu'il disait. Cette fois-ci, il pourrait être clairement exprimé que si les pouvoirs québécois ne sont pas acquis, un autre référendum devrait être tenu pour inviter les Québécois à tirer la conclusion[1].

La question posée aurait pu aller aussi loin que le permettait l'état des aspirations de la population. À un moment où le destin du Québec était en jeu — et non pas d'abord celui du Parti québécois — il aurait dû être possible à tous les nationalistes libéraux et autres d'appuyer le gouvernement au-delà de la ligne des partis pour pouvoir dire oui à la patrie du Québec.

On peut mieux mesurer aujourd'hui l'effet positif qu'aurait pu avoir un tel référendum sur l'évolution de la position québécoise dans le Canada. Le gouvernement central en aurait été profondément perturbé dans ses stratégies et n'aurait certes pu agir de façon aussi cavalière qu'il l'a fait en 1980 et en 1981.

Le gouvernement du Parti québécois n'a pas voulu faire porter le référendum sur autre chose que la souveraineté-association à laquelle le parti s'était engagé depuis ses origines. Toutefois, le réalisme ne lui a pas fait défaut et il a fait un bon bout de chemin pour aller à la rencontre de la population.

---

1. «Majorité, minorité et référendum», *Cahiers de recherche éthique*, no 7: *Le Référendum, un enjeu collectif*, Montréal, Fides, 1979, pp. 14-15.

Le Livre blanc et la question référendaire

À la fin de l'année 1979, le gouvernement du Québec publie un Livre blanc qui s'emploie à définir la position officielle qu'on entend soumettre à la sanction populaire. Le livre s'intitule heureusement, d'une manière positive, *La nouvelle entente Québec-Canada*. L'expression «souveraineté-association» est là en sous-titre mais elle est définie comme «une entente d'égal à égal». Le gouvernement annonce déjà qu'il va demander «un mandat de négocier la souveraineté-association» plutôt qu'une approbation immédiate d'un nouveau régime bien défini. La nuance est importante et laisse entendre que l'idéal proposé est susceptible de recevoir quelques modifications comme cela se produit régulièrement avec des propositions soumises à une négociation.

De plus, le ton du Livre blanc est résolument modéré, s'appuyant sur l'histoire, sur l'expérience du fédéralisme pour en dégager l'impasse et la nécessité d'une nouvelle entente. Tous les Premiers ministres du Québec depuis 1944 sont mis à contribution, y compris Robert Bourassa avec la «souveraineté culturelle», pour souligner à la fois leurs efforts en vue d'accentuer l'autonomie québécoise et les obstacles qu'Ottawa a placés sur leur route. Les rapports des deux grandes commissions d'enquête fédérales, Laurendeau-Dunton et Pépin-Robarts, sont abondamment cités, comme des sources privilégiées. On pourrait croire qu'il s'agit là d'études entreprises par des Québécois pour promouvoir un meilleur statut pour le Québec. N'est-il pas étrange que ces enquêtes conçues pour promouvoir l'unité canadienne soient devenues des armes entre les mains des souverainistes? Cela seul suffirait à se demander si la proposition du gouvernement québécois ne contient pas un brin de fédéralisme.

Mais il y a plus. Le Livre blanc propose l'union économique la plus étroite qui soit entre le Québec et le Canada, une union monétaire. Cela entraîne l'acceptation d'une Banque centrale commune et d'un certain nombre d'institutions communes. Cette intégration au Canada est comparée à l'intégration européenne mais, en fait, elle irait beaucoup plus loin. Si loin, qu'on est en droit de se demander si elle ne nécessiterait pas une forme de gouvernement, un Parlement élu directement par les populations, c'est-à-dire une nouvelle forme de fédéralisme.

Des membres du gouvernement s'avanceront plus loin encore au cours de la campagne référendaire. Ils laisseront entendre que le Québec pourrait bien envisager une politique de défense commune avec son partenaire canadien. Voilà une autre forme importante d'intégration susceptible d'entraîner la nécessité d'une structure politique commune et des transferts de souveraineté.

Si l'on se réfère à l'Europe pour montrer que de tels glissements ne se produisent pas facilement, il faut se souvenir qu'on ne peut en rien comparer la souveraineté québécoise nouvellement acquise aux souverainetés européennes enracinées dans des siècles d'histoire.

On peut donc penser qu'un négociateur fédéral habile aurait pu s'employer à démontrer que l'association économique proposée par le gouvernement québécois (et présentée comme devant nécessairement accompagner la souveraineté) était impossible sans une certaine continuation du lien fédéral. Cette démonstration devenait d'autant plus possible et désirable pour le gouvernement fédéral que la question officielle soumise par Québec annonçait la tenue d'un second référendum devant porter sur l'entente survenue au terme des négociations entre les deux capitales. Dans ces conditions, le mandat de négocier prenait une allure assez polyvalente. On pouvait fort bien penser que la négociation allait mener à «une nouvelle entente d'égal à égal» qui aurait été différente de celle dont faisait état le Livre blanc.

Le gouvernement fédéral déclarait péremptoirement son refus de négocier quelque nouvelle entente avec le gouvernement québécois dans l'éventualité d'une victoire du OUI. Mais comment croire qu'on aurait fait cet affront à la population québécoise réclamant majoritairement des négociations? Comment ne pas croire au contraire que, pour ne pas laisser aller le Québec seul, on se serait évertué, du côté d'Ottawa, à inventer des formules susceptibles de garder les Québécois dans la fédération? Il aurait été fort difficile à MM. Lévesque et compagnie de refuser des arrangements du type de ceux proposés par le rapport Pépin-Robarts qui auraient consacré une sorte de statut particulier pour le Québec.

Il y avait donc fort à parier que la victoire du OUI au référendum aurait entraîné ce renouvellement du fédéralisme souhaité par une majorité de la population plutôt que la souveraineté envisagée par les militants du P.Q. Voilà pourquoi plusieurs fédéralistes ont voté OUI au référendum espérant par là rehausser la position du Québec dans la Confédération canadienne et faire aboutir un dossier qui stagnait depuis longtemps. Un mandat de négocier la souveraineté-association accordé au gouvernement du Québec aurait pu faire débloquer les choses. À ce compte, pourquoi cette majorité de Québécois favorable au fédéralisme renouvelé n'a-t-elle pas fait triompher le OUI? Pour tenter de répondre à cette question, il faut examiner de plus près l'évolution de la campagne référendaire.

La campagne référendaire

En vue de conférer un caractère solennel à un référendum sur le destin de la nation, il était important de bien dissocier l'appui à cette cause nationale de celui qu'on pouvait accorder au gouvernement. Sans doute, ce dernier était-il l'instigateur et le concepteur de l'entreprise et il y mettait tout son prestige. Mais ce n'est pas au gouvernement du P.Q. qu'on allait dire OUI ou NON mais à une certaine évolution de l'État québécois. Pour faire apparaître cette distinction, des structures électorales appropriées ont été créées: les comités du OUI et du NON qui ne devaient pas être nécessairement calqués sur le parti gouvernemental et sur l'opposition.

En pratique cependant la cause du OUI n'a jamais été vraiment dissociée de celle du Parti québécois tandis que le comité du NON était celui qui incluait toutes sortes de tendances diverses: les partis politiques fédéraux, l'opposition libérale à Québec et d'autres partis et organismes. Dès le départ, les tenants du OUI ont failli à faire le plein du nationalisme québécois et à donner à leur cause une véritable envergure nationale. L'entreprise, quoique très bien menée avec le concours des meilleures agences de publicité, était vouée à être perçue comme l'affaire des péquistes sinon celle des «séparatistes». Le gouvernement lui-même n'a pas peu contribué à entretenir cette impression en courtisant et favorisant certains groupes dont il recherchait l'appui, par exemple les travailleurs syndiqués du secteur public qui ont obtenu des avantages extravagants dans leurs négociations de l'automne 1979. Ils ont à ce point identifié la cause nationale à celle du gouvernement qu'ils brûleront le drapeau du Québec quelques années plus tard pour manifester leur hostilité à l'endroit du même gouvernement devenu forcément plus parcimonieux. D'autres groupes, comme des organisations féministes, menaçaient d'appuyer le NON si le gouvernement n'entendait pas leurs revendications. De telles attitudes sont sans doute bien normales en démocratie quand il s'agit d'élire un gouvernement. Elles n'ont plus de sens quand il s'agit du progrès de la nation, d'une cause qui, en elle-même, n'a rien à voir avec tel ou tel parti politique, telle ou telle tendance sociale.

Il faut dire qu'il n'existe pas au Québec une forte tradition de la permanence de l'État et des institutions nationales indépendamment des gouvernements qui se succèdent et des partis politiques qui les forment. Les Québécois apparaissent beaucoup moins nationalistes que les autres peuples quand ils hésitent à placer les enjeux nationaux au-dessus de leurs intérêts partisans.

L'analogie entre «la belle province» qui se voyait dominée par un Canada anglophone imbu de sa supériorité et la femme cherchant à se libérer de la domination masculine avait tout de même quelque chose de séduisant. Il ne fallait pas cependant la pousser trop loin. Mme Lise Payette l'a appris au dépens de la cause du OUI quand elle a comparé Mme Madeleine Ryan, l'épouse du chef libéral, à une «Yvette» (la femme «dévouée» des manuels scolaires) suivant aveuglément son mari. La colère féminine contribua à l'organisation de l'immense rassemblement du Forum de Montréal où des femmes aussi peu asservies que Thérèse Casgrain et Monique Bégin ont invité quinze mille soi-disant «Yvettes» à voter NON au référendum. Cette manifestation des femmes du Québec a été considérée par plusieurs comme le point tournant de la campagne.

Un autre élément de la conjoncture qui n'a pas peu contribué à la victoire du NON, c'est la réapparition d'un gouvernement libéral dirigé par Pierre Trudeau à Ottawa à la suite de la défaite des conservateurs de Joe Clark au Parlement. Le gouvernement conservateur, au pouvoir de mai 1979 à février 1980, s'était montré beaucoup plus conciliant envers le gouvernement du Québec. Le Premier ministre Clark s'était dit prêt à négocier avec le Québec, quel que soit le résultat du référendum. Trudeau est revenu au pouvoir juste à temps pour mettre tout son poids de premier magistrat du pays, de «Canadien français qui a réussi» dans l'arène du référendum. Lui et ses ministres francophones ont mené une lutte autrement plus impressionnante que s'ils avaient été dans l'opposition. Les rares ministres conservateurs québécois n'auraient jamais accompli pareille performance.

Par ailleurs, le slogan habile et séduisant, «Mon NON est québécois», laissait bien entendre qu'on pouvait être authentique Québécois, voire un nationaliste et refuser de donner au gouvernement le mandat de négocier la souveraineté-association. Des hommes politiques québécois qui s'étaient autrefois taillé des réputations de nationalistes, tels l'ex-premier ministre Jean Lesage, Paul Gérin-Lajoie, fondateur du ministère de l'Éducation et grand défenseur des droits du Québec, Claude Castonguay, qui avait réclamé le renforcement du pouvoir québécois dans les affaires sociales, se sont rangés derrière le comité du NON. Claude Ryan lui même, le chef du P.L.Q., président de ce comité, n'avait pas la réputation d'être vendu au statu quo fédéral ou au fédéralisme tel que le concevait Pierre Trudeau.

De plus, les nationalistes québécois les plus ardents et les indépendantistes avaient commis l'erreur de sous-estimer la résonance profonde qu'avaient gardée les mots «Canada» et «Canadiens» dans la conscience collective des francophones québécois. Quelle que fût devenue la signification contemporaine de ces mots, ils avaient été si longtemps associés à l'existence collective des «parlant français» du Québec qu'ils ne pouvaient qu'être affectés d'une connotation très positive auprès des électeurs québécois. Quand M. Chrétien, par exemple, après avoir entonné l'hymne national (qui fut longtemps réservé aux seuls Canadiens français) avec la foule de ses auditeurs, pressait ces derniers de demeurer des Canadiens, de ne pas détruire notre beau pays, le Canada, il touchait des cordes sensibles, il réveillait des attachements profonds. Le mot «québécois» jeune de vingt ans demeurait un peu froid. Le mot «Canada» était au contraire tout chaud, exprimant une longue tradition enracinée dans l'histoire. Il aurait fallu sans doute que les tenants du OUI se montrent aussi habiles à récupérer cette tradition «canadienne» que les leaders du NON l'avaient été en s'appropriant le mot «québécois». Mais auraient-ils pu dire que leur OUI était canadien?

Enfin, une bonne part de la modération du OUI s'est perdue au cours des derniers débats de la campagne. Fort habilement les avocats du NON détournaient constamment la question vers l'enjeu du second référendum, invitant les électeurs à s'opposer à l'indépendance en votant NON. Ils s'employaient à dénoncer non pas l'opportunité de confier un mandat de négociation au gouvernement mais la notion même d'indépendance du Québec et son cortège d'incertitudes, de risques et de périls. Les tenants du OUI, indépendantistes convaincus en grand nombre, se sont laissés prendre au jeu et se sont empressés de répondre à leurs adversaires en vantant les mérites de l'option souverainiste. Ils ont oublié que, selon tous les sondages, ils étaient perdants dans ce débat. Ils se devaient de ramener l'argumentation vers la véritable question du référendum toute modérée et prudente: le mandat de négocier la souveraineté-association. Comme cela n'a pas été fait suffisamment, on peut croire que, pour beaucoup d'électeurs, le référendum a consisté à dire oui ou non à l'indépendance.

Une belle occasion a été ratée de prendre le pouls du nationalisme québécois, d'amener une majorité de la population à
dire OUI à la patrie québécoise.

Lendemains pénibles

Ainsi la polarisation, encouragée par la popularité des chefs,
Trudeau et Lévesque, avait porté ses fruits: une profonde division à l'intérieur de la nation. Pierre Trudeau déplorait cette
division au soir de sa victoire, sans toutefois pousser l'humi-
lité jusqu'à avouer qu'il en était en bonne partie responsable
pour avoir voulu imposer coûte que coûte sa conception du
Canada et s'être opposé aux solutions qui ralliaient l'ensemble de la population québécoise.

Il continua sans vergogne de forcer sa vision des choses.
Après avoir fait campagne sous le slogan «Mon NON est québécois» et rallié plusieurs nationalistes à la cause du NON,
il eut l'audace de proclamer que ce NON était irrémédiablement «canadien» et que les résultats du référendum sonnaient
le glas du nationalisme québécois.

Ainsi, pour avoir dit NON à la souveraineté-association ou
au mandat de négocier, les Québécois avaient répudié d'une
seule croix sur leur bulletin de vote vingt ans de nationalisme.
Finis tout à coup les «Maîtres chez nous», «Québec d'abord»,
«Égalité ou indépendance», «Souveraineté culturelle». Cette
affirmation a de quoi étonner, non pas de la bouche de Pierre
Trudeau qui s'était souvent empressé d'annoncer la fin de ce
nationalisme, mais du fait qu'une victoire comme celle du NON
lui donne tout à coup une certaine plausibilité. Tant il est vrai
que les perdants ont toujours tort.

N'avait-on pas raison d'écrire dans le Livre blanc:

> S'ils obtenaient le NON qu'ils désirent, Ottawa et
> le reste du Canada — une certaine simplification et
> le soulagement aidant, — en concluraient inévitable-
> ment à la résignation tardive des Québécois, qui,

adhérant sans exigences particulières au régime fédéral actuel, auraient finalement opté pour le statu quo. Cette réaction est d'autant plus vraisemblable que, au Québec, les partisans du NON n'auront pu s'entendre sur une formule concrète de «fédéralisme renouvelé». Cette réorientation inespérée d'un Québec repenti, dans le sens depuis longtemps souhaité hors de chez nous, serait, pour les Québécois, un recul sans précédent, dont ils auraient beaucoup de mal à se remettre[2].

Après la défaite, ces lignes prennent un caractère à la fois tragique et prophétique. Les membres du gouvernement du Québec avaient bien conscience de jouer à «quitte ou double». Ou peut-être n'arrivaient-ils pas à croire qu'une majorité de Québécois puissent dire non à leur projet, sans qu'aucune concession importante n'ait été avancée ni par Ottawa ni par les autres provinces. Car c'est bien là l'état pitoyable dans lequel s'est trouvé le Québec au lendemain du référendum. Après vingt ans de lutte, l'État québécois était tout à coup désarmé, n'ayant même pas réussi à gagner quelques points en échange du rejet de la souveraineté-association.

Trudeau s'empressa d'exploiter cette situation. Sans même consulter son allié d'un jour, Claude Ryan, sans même laisser une semaine aux membres du gouvernement québécois pour digérer leur défaite, lui et son ministre de la Justice, Jean Chrétien, se mirent à l'oeuvre. Consultation des provinces une par une, convocation de réunions fédérales-provinciales, établissement d'un échéancier. Il fallait battre le fer quand il était chaud, mettre en branle le processus du rapatriement de la Constitution canadienne. Les changements promis? Rapatrier n'en était-il pas un de taille? De plus, une Charte des droits serait annexée à la constitution, garantissant les droits des minorités. Strictement rien pour le Québec, province comme les autres.

2. Gouvernement du Québec, Conseil exécutif, *La Nouvelle entente Québec-Canada*, Québec, Éditeur officiel, 1979, p. 83.

En d'autres temps, ces manoeuvres auraient provoqué la colère de la population québécoise. Après le référendum, à peine un sursaut. Une tentative de regroupement des forces pour lutter en faveur des droits du Québec se heurte aux divisions et aux méfiances creusées par la bataille référendaire. Des tenants du OUI n'ont pas le coeur à se battre pour l'autonomie du Québec dans la fédération canadienne après avoir rêvé de souveraineté. Des tenants du NON, des libéraux, craignent de se retrouver en compagnie des péquistes. Le «Regroupement pour les droits du Québec» réussit tout de même à organiser une assemblée monstre au cours de l'automne. Cette assemblée et le Regroupement lui-même sont perçus par la presse et l'opinion publique comme l'affaire du Parti québécois et ne peuvent contribuer qu'à relancer le parti sur le chemin de la victoire aux élections de 1981.

De son côté, le gouvernement est parvenu à se remettre en branle en vue des affrontements fédéraux-provinciaux avec une étonnante vigueur. Cela laissait croire que ce gouvernement était mieux préparé à ce type de négociations qu'à celles qu'il aurait dû mener en vue de la souveraineté ou dans un cadre international.

En dépit des déclarations du Premier ministre Trudeau, le nationalisme québécois n'était pas mort. Lévesque et les siens luttaient contre le rapatriement unilatéral de la Constitution dont Trudeau menaçait les provinces, récalcitrantes à huit contre deux. Le P.Q. après avoir perdu le référendum, est reporté au pouvoir en avril 1981, comme si les nationalistes québécois en profitaient pour dire OUI à quelque chose. Étrange situation: ils n'étaient que 40 pour cent à dire OUI à la négociation d'un nouveau statut pour l'État, ils sont 49 pour cent pour réélire un gouvernement.

René Lévesque, après avoir failli à rallier Claude Ryan et les libéraux à un vote de l'Assemblée contre le rapatriement unilatéral en décembre 1980, réussit l'exploit en octobre 1981. Neuf libéraux expriment toutefois leur dissidence. Fort de cet appui et d'une alliance avec sept autres provinces canadiennes, le gouvernement québécois espère avoir raison de l'obs-

tination du Premier ministre fédéral. C'est avec un certain optimisme que René Lévesque et sa délégation s'amènent à la Conférence fédérale-provinciale, le 2 novembre. Après la défaite
au référendum, on croyait au moins préserver un certain pouvoir québécois face aux initiatives fédérales. Tragique illusion:
le Québec allait enregistrer une des pires déconfitures de son
histoire. Beaucoup plus que le référendum, cette humiliation
devait signaler un net recul du nationalisme québécois.

Le Canada sans le Québec

Dans la nuit du 4 au 5 novembre 1981, à la suite d'habiles
manoeuvres pour dissocier le Québec du groupe des huit provinces opposées au rapatriement, le ministre Jean Chrétien réussit à obtenir l'accord des sept provinces anglophones récalcitrantes. Le 5 novembre, neuf provinces acceptent de signer
un accord avec le gouvernement central du Canada en vue de
rapatrier la Constitution canadienne avec une Charte des droits
qui lui sera annexée. La délégation du Québec est absolument
décontenancée du fait que les sept provinces alliées ont rompu
leur engagement d'avril précédent concernant le principe de la
nécessité d'une formule de retrait («opting-out») accompagné
de compensation financière, quant à d'éventuels amendements
constitutionnels. Québec avait sacrifié ce qu'on croyait être son
traditionnel veto pour accepter cette nouvelle formule. Voilà
que les prétendus alliés se rangent derrière une formule qui
ampute le droit de retrait de la compensation financière sans
laquelle il n'a plus guère de sens. Pour cette raison, et pour
d'autres relatives à la Charte des droits qui accorde au pouvoir fédéral une autorité en matière linguistique, en ce qui a
trait aux droits des minorités, le Québec refuse de signer
l'accord.

Jamais, depuis le plébiscite de 1942, les Québécois francophones ne se sont trouvés aussi évidemment victimes de leur
minorisation dans l'ensemble canadien. Après plus de vingt ans
de lutte en vue de renforcer son pouvoir, le Québec se voyait

perdant sur deux fronts: incapable de consolider son statut ni en dehors ni à l'intérieur de la Confédération canadienne. Après avoir menacé de bouleverser le système canadien, le Québec se retrouvait plus faible qu'il ne l'avait été depuis longtemps. Même le droit de veto ne lui était pas reconnu, ce qui devait être sanctionné plus tard par un jugement de la Cour suprême déclarant que ce prétendu droit n'avait jamais existé de toutes façons.

La grande idée d'un Québec, État national francophone, «expression politique» du Canada français, «province pas comme les autres», était officiellement répudiée par le Canada. C'était la fin d'un grand rêve, une page de l'histoire du peuple québécois aussi triste et noire que celle du rapport Durham de 1839.

Cette situation comprenait en elle-même tous les éléments susceptibles de provoquer de grandes manifestations de nationalisme québécois: le Québec était isolé, bafoué, réduit au silence. Pourtant, rien ne se produisit. Cette majorité de Québécois sans cesse favorable au «fédéralisme renouvelé» demeura étrangement silencieuse et résignée. Pas de rassemblement, pas d'opposition concertée,quelques lettres aux journaux, sans plus. L'heure était à la morosité, sinon au désintéressement quant à la question constitutionnelle.

Si cet affront aux aspirations québécoises formulées inlassablement depuis vingt ans n'a pas soulevé de réactions importantes au Québec, on ne peut s'étonner de ce qu'il n'ait eu aucune répercussion à l'extérieur. Il était d'ailleurs fort difficile d'expliquer aux observateurs internationaux que le Québec avait été durement isolé quand les protagonistes du rapatriement constitutionnel étaient eux-mêmes Québécois. MM. Trudeau et Chrétien se faisaient forts de déclarer qu'ils représentaient aussi le Québec. Cela suffisait d'ailleurs à rassurer l'opinion anglo-canadienne. On pouvait encore se consoler en arguant, comme le faisaient régulièrement le Premier ministre et ses collègues, qu'un accord aurait été de toutes façons impossible avec les «séparatistes» au pouvoir à Québec, ces gens qui ne cherchaient qu'à torpiller le Canada pour se venger d'avoir perdu le référendum.

Pourtant ces soi-disant «séparatistes» avaient été reportés au pouvoir en avril 1981 par ces mêmes Québécois qui avaient dit NON un an plus tôt à la souveraineté. Ils constituaient le gouvernement légitime du Québec et avaient oeuvré plutôt honnêtement dans le cadre canadien durant les derniers mois. Ils avaient reçu l'appui presque unanime de l'Assemblée nationale et de la grande majorité des leaders d'opinion du Québec. C'était donc un sophisme assez grossier que de prétendre que seuls des «séparatistes» avaient été humiliés.

En avril 1982, la reine Elizabeth II était invitée à proclamer à Ottawa la nouvelle constitution canadienne. Le Canada (sans le Québec) était en liesse. L'absence du Québec aux célébrations officielles était à peine notée. Pourtant, le chef de l'opposition libérale, M. Ryan lui-même, avait refusé de se rendre à Ottawa et la plupart des députés libéraux de l'Assemblée nationale avaient également recusé l'invitation qui leur avait été faite. M. Robert Bourassa, pour sa part, déjà manifestement intéressé au leadership du P.L.Q., déclarait aussi son opposition à l'accord constitutionnel.

Ce consensus québécois, à lui seul, suffisait à rappeler que l'idée centrale du nationalisme québécois était toujours vivante. Tout n'était donc pas perdu. Mais, à l'heure des jubilations outaouaises, le Québec, aux prises avec une crise économique qui l'affectait singulièrement, demeurait plutôt taciturne. Il apparaissait bien évident que le nationalisme québécois n'était plus ce qu'il avait été. On pouvait parler de déclin, d'essoufflement ou peut-être d'une nouvelle forme de nationalisme. Ces questions, qu'on se pose encore aujourd'hui et qui nous font envisager des perspectives nouvelles, feront l'objet du chapitre final de cet ouvrage.

CHAPITRE 10

Bilan et perspectives

Sans aucun doute, une page d'histoire a été tournée. Depuis le début des années quatre-vingt, le nationalisme québécois a cessé d'animer l'ensemble des activités d'une société. L'esprit de la Révolution tranquille, qui avait été préservé sous Robert Bourassa de 1970 à 1976 pour être ranimé avec l'arrivée du P.Q. au pouvoir, cet esprit qui est aussi celui du nationalisme étatique est bel et bien disparu. L'État du Québec n'est plus glorifié. La nation québécoise n'est plus la référence privilégiée. Il faut donc signaler la fin d'une période de nationalisme québécois. Il appartiendra aux historiens de déterminer si cette période se termine en 1980 avec le référendum, en novembre 1981 avec la défaite constitutionnelle ou en 1985 avec la victoire libérale aux élections du 2 décembre.

Dans le cadre de cette étude, il importe plutôt de rendre compte de ce déclin d'un phénomène, d'identifier les facteurs qui y ont contribué et d'en mesurer les effets, en somme de répondre aux questions suivantes: pourquoi le nationalisme est-il en perte de vitesse? et qu'en reste-t-il après quelques vingt années d'agitation? Il importe aussi d'aller plus loin et d'interroger le présent et l'avenir. Le mouvement nationaliste est-il bel et bien annihilé avec la disparition des paramètres qui ont guidé son évolution au cours des dernières décennies? Doit-on croire que le sentiment nationaliste est désormais absent de la conscience collective des Québécois? Enfin, doit-on conclure que l'ère du nationalisme est révolue au Québec, que le phénomène vécu au cours des années soixante et soixante-dix était essentiellement transitoire, en d'autres termes, que le nationalisme ne réapparaîtra plus?

Le chapitre qui suit s'emploiera à ébaucher quelques tentatives de réponse à ces questions en traitant du déclin du nationalisme au Québec, des acquis du nationalisme québécois, de nouvelles manifestations du sentiment national, du visage changeant de la société québécoise et des conditions de résurgence d'un mouvement nationaliste.

Le déclin

La victoire du NON au référendum national a contribué, beaucoup plus qu'on pouvait le croire sur le moment, à la dégringolade du mouvement nationaliste. Cela apparaît clairement si l'on s'arrête aux effets psychologiques de cet événement.

Un simple examen rationnel des résultats de la consultation populaire ne préjuge en rien de la santé du nationalisme québécois. Quarante pour cent de la population répond OUI, ce qui est une forte proportion, et parmi les soixante pour cent qui votent NON, on décèle un grand nombre de nationalistes partisans d'un fédéralisme renouvelé. Donc, mathématiquement, le nationalisme affecte toujours les orientations politiques d'une majorité de Québécois.

Mais, comme on l'a noté plus haut, un référendum de ce genre, si rare dans l'histoire du Québec, devait enregistrer un impact bien au-delà de la simple compilation mathématique. D'abord ceux qui l'ont perdu, quel que soit le nombre de voix obtenues et l'écart de la défaite, sont considérés comme perdants sans plus. Une joute électorale de ce genre est plutôt gagnée par 1 à 0 que par 60 à 40. On oublie le score consolant d'une défaite, on n'oublie pas la défaite. Ensuite, et c'est là l'aspect le plus important, quelles que soient les analyses et explications qu'on puisse apporter au vote (un NON est un OUI et le reste), le résultat est bel et bien NON. Qu'on le veuille ou non, et même si cela ne correspond pas à leurs intentions, les Québécois ont répondu NON à l'État du Québec et à son dynamisme. Dans ce sens, M. Trudeau avait bel et bien raison de dire que c'était la fin du nationalisme québécois. Il avait tort selon toute analyse des intentions et du sens du vote mais non pas quant aux effets psychologiques de la consultation référendaire.

D'ailleurs un très grand nombre de ceux qui avaient été les militants les plus enthousiastes du nationalisme ont implicitement rendu le même verdict, de par le désenchantement qu'ils ont manifesté plus ou moins ouvertement. La désillusion était d'autant plus grande pour toute une génération d'indépendantistes québécois qu'on avait entretenu des espoirs sans aucune proportion avec les indicateurs sociaux disponibles. Tout s'est passé comme si l'intensité d'un certain idéal pouvait compenser sa faiblesse numérique, c'est-à-dire son peu d'attrait auprès d'une majorité de la population. Combien de jeunes Québécois ont cru sincèrement, au cours des années soixante et soixante-dix, que l'indépendance était au coin de la rue, «une question de temps», comme on aimait à le dire, alors que rien n'était moins sûr! Pour accentuer cette croyance en l'irréversibilité de la souveraineté, on a mis de l'avant des théories basées sur l'évolution des groupes d'âge et qui laissaient entendre que l'idéal souverainiste, majoritaire chez les plus jeunes, finirait par gagner l'ensemble de la population à mesure que les jeunes vieillissaient. On présupposait un peu trop vite que les nouveaux jeunes seraient toujours fascinés par l'indépendantisme, ce qui ne s'est pas vérifié, comme on sait.

La désillusion fut à la mesure de l'intensité des attentes. Ceux qui déjà célébraient l'indépendance le 15 novembre 1976 n'avaient plus le coeur à lutter pour l'autonomie de la province dans la Confédération en 1981. Sans doute le nationalisme québécois ne se limite pas, répétons-le, aux indépendantistes. Mais il faut dire que, ceux-ci disparus de la scène, l'atmosphère n'est plus la même et le nationalisme de l'ensemble n'en peut être que considérablement affaibli.

Cette amère désillusion des indépendantistes n'a pas peu contribué à créer une sorte de morosité à l'intérieur du nationalisme québécois au lendemain du référendum. Morosité atténuée pour un temps par la victoire du P.Q. aux élections d'avril 1981 et l'ardeur de la lutte contre le projet constitutionnel du gouvernement central. Mais, après l'échec du 5 novembre, c'est une sorte de sentiment d'impuissance qui habite les nationalistes et les paralyse presque tout à fait. Comme jadis en 1839, le Québec est prostré.

Au surplus, et c'est peut-être là le facteur décisif, le Québec est en train de traverser la pire crise économique de son histoire moderne (depuis la dernière Guerre mondiale). L'optimisme de la Révolution tranquille est complètement débouté. En plus d'être humilié politiquement, le Québec est appauvri. Les taux de chômage atteignent des records. L'État est au bord de la faillite. Le nationalisme québécois, nourri par la fierté économique et des promesses d'un meilleur contrôle de la richesse par la majorité francophone, n'a jamais su s'alimenter, comme d'autres nationalismes ailleurs dans le monde, à même les privations ressenties par la population. Dans un tel contexte, il y a moins de place pour l'affirmation de l'identité nationale, d'autant moins qu'on a tendance à associer le nationalisme aux aléas de la situation économique.

Parmi les plus touchés par la crise furent les employés de l'État, les salariés des secteurs public et parapublic, ceux qu'on a appelés les enfants chéris de la Révolution tranquille. Le gouvernement péquiste, après avoir choyé cette clientèle privilégiée, en particulier avant le référendum, se crut obligé tout à coup, devant l'ampleur de la crise des finances publiques, d'agir de façon draconienne en imposant des coupures importantes dans les salaires et d'autres mesures pénibles. Cela eut pour effet de détourner du Parti québécois des milliers de personnes qui lui avaient auparavant apporté leur appui enthousiaste. Ces personnes s'étaient habituées, bien à tort, à identifier la cause nationaliste à celle du gouvernement du P.Q. de telle sorte qu'en voulant manifester leur rancoeur à l'endroit de leur employeur, ils ont rejeté le nationalisme, allant même jusqu'à brûler des drapeaux québécois comme s'ils avaient été l'emblème du parti au pouvoir.

Ainsi on s'est trouvé devant le spectacle plutôt navrant de toute une classe sociale abandonnant la cause nationale pour des raisons relatives à son bien-être économique. L'embourgeoisement de ceux-là même qui s'étaient manifestés plus tôt par un grand idéalisme n'est pas le moindre des facteurs du déclin du nationalisme québécois. Ces «gens du pays» avaient abandonné la cause sacrée de la «libération nationale» pour celle de la protection de leurs «droits acquis».

L'État du Québec a donc cessé d'apparaître comme «l'expression politique» d'un peuple autonome, le responsable de «l'émancipation collective» des Québécois. Au lieu de parler allègrement, comme on le faisait jadis, de la croissance de l'appareil étatique, on parle maintenant de «décroissance», d'une cure nécessaire d'amaigrissement de l'État, de la diminution des dépenses publiques. L'idéologie néo-conservatrice, toute-puissante aux États-Unis, en Grande-Bretagne et ailleurs, a exercé son influence au Québec, comme dans l'ensemble du Canada. Cette influence demeure limitée mais elle contribue à dévaloriser l'intervention étatique et à revaloriser l'entreprise privée. Le nationalisme, qui se définissait avant tout en fonction de l'instrument étatique, en est considérablement affaibli et diminué.

Enfin, on a vu apparaître, au cours des années quatre-vingt, une nouvelle génération de jeunes pour qui le nationalisme n'exerçait plus du tout la même séduction que chez leurs aînés. La théorie du nationalisme sans cesse croissant se voyait par le fait même infirmée, sans compter qu'elle n'avait pas prévu la désaffection partielle de la génération précédente.

Pourquoi tant de jeunes ont-ils rejeté le nationalisme qui avait fait vibrer leurs aînés quelques années plus tôt? D'abord, en vertu d'un phénomène de rejet bien propre aux générations nouvelles. Les jeunes nationalistes des années soixante avaient adopté la cause de l'indépendance à l'encontre de leurs aînés qui se refusaient toujours à cette option. Quand apparurent, vingt ans plus tard, les enfants de ceux qui avaient brandi le drapeau et milité pour toutes les causes nationales, ces jeunes eurent tôt fait de juger à leur tour l'engagement politique de leurs parents. Ceux qui n'avaient pas droit de vote au moment du référendum ont tendance à demeurer fort sceptiques à l'égard de toutes ces grandes manoeuvres auxquelles se sont livrés leurs parents durant vingt ans pour obtenir de si faibles résultats. Comment les blâmer de se tourner vers autre chose et d'entretenir des sentiments plutôt amers envers ceux qui ont tant chanté, tant crié et qui ne leur ont laissé autre chose que des portes fermées? Sans doute on peut leur expliquer que la situation économique actuelle a peu à voir avec le nationalisme (qu'elle serait peut-être pire sans lui), que leurs aînés ne sont pas responsables du chômage actuel. Mais ces explications sont pénibles et n'inspirent pas les jeunes, qui sont toujours portés à dévaloriser l'héritage de la génération précédente. D'ailleurs c'est peut-être paradoxalement en raison même des effets produits par le nationalisme que le mouvement n'attire plus les jeunes et s'en trouve affaibli.

Les acquis du nationalisme

Il est difficile aux jeunes de vingt ans de se reporter en arrière, avant leur naissance, pour évaluer sérieusement les acquis du nationalisme québécois. Si pénible que soit leur situation, il ne leur arrive plus, comme cela arrivait à leurs aînés, de se sentir dévalorisés parce qu'ils sont Canadiens français, de ne pouvoir s'exprimer dans leur langue en plein coeur de leur ville natale, d'entendre des dirigeants de compagnie proclamer, comme jadis Donald Gordon du CN, que les francophones du Québec sont inaptes à occuper des postes importants dans la grande entreprise. Pourtant c'était bien là la situation en 1960. Depuis ce temps, le mouvement nationaliste s'est manifesté dans toutes sortes de directions, à temps et à contretemps, pour le meilleur et pour le pire. Il a pu souvent produire des effets pervers, mais pourrait-on nier qu'il a contribué, en très grande part, à donner aux Québécois une plus grande confiance en eux-mêmes, à conférer un statut à la langue française et à créer un véritable réseau économique francophone?

En affirmant avec ferveur l'identité québécoise, en la situant dans un contexte international et en la disant au monde, le nationalisme du Québec aura inspiré une impressionnante production culturelle, à nulle autre pareille dans notre histoire. Il aura contribué à donner aux Québécois, jadis «nés pour un petit pain», une nouvelle fierté qui les a amenés à s'engager dans toutes sortes de carrières qu'ils se croyaient autrefois interdites. Pour avoir souvent agacé et même irrité les Canadiens de langue anglaise, le nationalisme québécois n'en a pas moins engendré une attention nouvelle du Canada vers le Québec et, le plus souvent, un respect inconnu auparavant pour la culture québécoise. On peut en dire autant, quoiqu'à des degrés divers, quant au rayonnement des Québécois dans d'autres pays, en particulier en France et aux États-Unis. Bien sûr, ce rayonnement n'est pas dû qu'au nationalisme, il s'en faut. Mais qui oserait nier que la nouvelle fierté nationale n'a pas encouragé beaucoup de Québécois à se produire à l'extérieur? Aujourd'hui, le statut du Québec est sans doute encore en deçà de ce dont on a rêvé mais les Québécois éprouvent certainement beaucoup plus de confiance en eux-mêmes qu'il y a une vingtaine d'années.

C'est d'ailleurs maintenant un fait accompli. Le Québec est devenu résolument français. En 1960, il était souvent fort difficile de recevoir des services en français dans le centre-ville de Montréal et dans tout l'ouest de la banlieue. Le Québécois francophone devait régulièrement parler anglais dans les restaurants, les grands magasins et les hôtels de la métropole, sans compter qu'il se sentait complètement étranger dans des institutions d'enseignement comme l'Université McGill ou des hôpitaux anglophones. Aujourd'hui, Montréal n'en est pas devenue pour autant une ville française (elle ne le sera jamais) mais elle est une ville où le français est langue d'usage, sans que la langue anglaise ait disparu, loin de là. Les anglophones montréalais se sont mis à apprendre le français et à le parler. La très grande majorité des jeunes anglophones deviennent bilingues dès le bas âge. Les communautés ethniques ont aussi accédé à l'usage du français, les immigrants sont conscients du fait francophone et s'intègrent en masse au secteur francophone.

Des prix ont été payés pour atteindre ce résultat. Quantité d'anglophones ont quitté le Québec, soit qu'ils étaient absolument allergiques à l'apprentissage du français ou qu'ils déploraient que l'anglais ne soit plus aussi dominant à Montréal (ce à quoi il n'y avait pas grand chose à faire), soit qu'ils aient entretenu des appréhensions quant à leur avenir et à leurs chances d'avancement dans un Québec français (ce qui malheureusement reposait sur de fausses perceptions parfois entretenues par des élites anglophones s'appuyant sur certains comportements francophones isolés). Des investissements ont pu être détournés en raison de cette situation, telle que perçue ou telle qu'elle était. Il ne sera jamais facile de faire la part des choses dans le mouvement qui a déplacé le centre de gravité du Canada vers Toronto. Mais il est certain que ce mouvement existait indépendamment du nationalisme québécois.

Le Québec aurait-il pu devenir français tout en faisant l'économie de ces coûts? Peut-être. Mais il paraît plutôt impensable que le Québec ait pu devenir aussi résolument français sans une législation linguistique. Combien d'anglophones montréalais n'avaient pas encore perçu le message du nationalisme québécois avant que la Charte de la langue française soit appliquée! Il fallait sans doute donner un grand coup, de façon un peu excessive, pour qu'un certain ordre de choses soit rétabli, en fonction des exigences de la majorité francophone.

Grâce à la loi 101, et en dépit de la charcuterie constitutionelle qu'on lui a fait subir, la langue française est devenue langue de communication au Québec. Il est maintenant pratiquement impossible d'évoluer dans l'univers social québécois, à quelque niveau que ce soit, sans une connaissance minimale de la langue française. C'était là un objectif du nationalisme et il a été atteint.

Peut-être plus significatifs, sinon spectaculaires, sont les résultats obtenus en matière économique. Le nationalisme québécois, dès ses premières manifestations, s'était nettement orienté vers une sorte de conquête économique, opérant par là une véritable révolution par rapport au passé canadien-français. Des instruments particuliers furent mis sur pied, comme la Société générale de financement, pour venir en aide à l'entreprise québécoise et stimuler son développement. En 1962, la campagne électorale menée avec des slogans aussi nationalistes que «Maîtres chez nous» et «L'électricité, la clef de notre émancipation économique», aboutit à la nationalisation de toutes les compagnies privées appliquées à l'exploitation des ressources hydro-électriques.

Cette politique d'inspiration nationaliste fut considérée par certains comme non rentable pour l'ensemble de la population québécoise et ne devant profiter qu'aux classes moyennes. Il est sans doute vrai que le nationalisme québécois, comme la plupart des nationalismes de ce genre en Occident, a servi les intérêts d'une bourgeoisie locale. Mais peut-on croire que l'absence de politiques nationalistes (par exemple, si le gouvernement n'avait pas nationalisé les compagnies d'électricité) aurait nécessairement favorisé les travailleurs?

Quoi qu'il en soit, on ne saurait envisager une opération comme celle de la nationalisation de 1963 au simple niveau comptable. La consolidation de l'Hydro-Québec a visé et atteint des résultats qui allaient bien au-delà d'une bonne affaire. Désormais, une corporation géante existait au Québec et serait contrôlée par une majorité de francophones. Des voies étaient ouvertes à des administrateurs, des ingénieurs de langue française dans une grande entreprise qui allait faire la fierté des Québécois. L'Hydro-Québec, dont la réputation et le crédit auprès des milieux financiers nord-américains et internationaux n'ont jamais flanché, devenait une preuve vivante de l'aptitude des Québécois francophones à gérer une grande compagnie.

La Caisse de dépôt et de placements, une autre institution créée en 1965 dans la ferveur nationaliste de la Révolution tranquille, devait aussi contribuer considérablement à l'essor économique du Québec en permettant des prises de contrôle de certaines entreprises importantes par des Québécois francophones. Dans la même veine, des sociétés comme Sidbec, Soquem, Rexfor, Soquip et d'autres permettaient à des Québécois de trouver une place au soleil dans le monde des affaires et de l'industrie.

Jusqu'au milieu des années soixante-dix, c'est surtout dans le secteur public et celui des corporations autonomes régies par le gouvernement que les administrateurs québécois se sont illustrés. Ainsi, vers 1970, la grande majorité des diplômés des écoles d'administration des universités francophones se dirigeait vers les entreprises de type public. Le réseau économique de l'entreprise privée demeurait, en bonne part, un univers anglophone où des jeunes francophones se sentaient plus ou moins à l'aise.

Peu à peu, cependant, sans doute à la faveur du grand mouvement de francisation des entreprises lancé par la législation linguistique, les francophones ont opéré une percée dans les secteurs financier, commercial et industriel. Vers 1980, la majorité des étudiants sortant des facultés d'administration s'orientaient dorénavant du côté de l'entreprise privée. On a assisté aussi, depuis la fin des années soixante-dix, à un exode des cadres de la fonction publique ou des corporations autonomes de l'État vers l'entreprise privée.

En conséquence, il existe maintenant un véritable réseau économique francophone, la langue française est une langue largement utilisée dans les milieux d'affaires de Montréal. C'est là, sans aucun doute, un résultat net des grandes opérations menées par l'État québécois dans une atmosphère nationaliste. Le nationalisme québécois aura donc contribué à constituer une nouvelle classe sociale au Québec francophone: celle des hommes et des femmes d'affaires. Aux élites traditionnelles des professions libérales s'étaient ajoutées, à la faveur de la Révolution tranquille, celle des grands commis de l'État et des enseignants. Désormais, il faut inscrire les élites d'affaires comme étant un des groupes les plus influents, sinon le plus influent et prestigieux dans la société québécoise. À cet égard, la configuration sociale du Québec ressemble maintenant davantage à celle du Canada anglais et des États-Unis.

Le nationalisme québécois, issu de couches sociales particulières (enseignants, fonctionnaires, artistes), aura donc produit cet effet de constituer une nouvelle classe sociale dans un univers où il était presque étranger. Ce processus engendre une sorte d'effet de rétroaction sur le nationalisme lui-même. Les membres de la nouvelle classe, imbus d'une philosophie individualiste bien propre à leur milieu, n'ont pas tendance à reconnaître qu'ils doivent beaucoup au nationalisme ni à valoriser le phénomène comme d'autres classes le faisaient.

Serait-ce donc que le nationalisme est un mouvement qui tend à s'évanouir, une fois atteints les objectifs qu'il s'était donnés? Un Québec plus confiant, plus français et plus économique serait moins nationaliste qu'un Québec aliéné. Dans une certaine mesure, cela est bien vrai et force est de le constater. Mais la situation n'est pas aussi simple. Les objectifs ne sont pas atteints de façon définitive, de telle sorte que le nouvel équilibre peut secréter à son tour une nouvelle forme de nationalisme ou tout au moins prolonger les anciennes formes dans ce qu'elles ont de plus modéré.

Un nationalisme autonomiste et discret

En fait, en dépit de tout ce qui précède au sujet du déclin du nationalisme, on doit constater que l'essentiel du nationalisme québécois n'est pas disparu. Des sondages de l'automne 1985 ont révélé que plus de 35 pour cent des Québécois favorisent encore la souveraineté-association. Il apparaît aussi assez évident que la majorité des Québécois continue de souhaiter une forme ou l'autre de renouvellement de la fédération, à tout le moins un meilleur statut pour le Québec.

À l'élection fédérale du 4 septembre 1984, les Québécois ont exprimé, de façon assez claire et plutôt étonnante, une volonté de changement au Parlement du Canada. Pierre

Trudeau disparu, ils se sont permis de congédier plusieurs députés libéraux, manifestant par là probablement une sorte de rejet de la philosophie libérale centralisatrice. Si l'on n'accepte pas cette explication et qu'on attribue plutôt à la popularité du chef conservateur québécois, M. Mulroney, la nouvelle orientation du vote québécois, il faut bien admettre cependant que plusieurs des candidats conservateurs élus étaient connus (et dénoncés par les libéraux) comme des nationalistes, sinon parfois des sympathisants du Parti québécois et de la cause du OUI au référendum. Il y avait donc une certaine saveur nationaliste bien discrète dans ce vote, peut-être même une sorte de retour des choses par rapport à l'humiliation de 1981.

En effet, dans sa première année, le gouvernement conservateur en poste à Ottawa apparaît beaucoup plus conciliant à l'égard des provinces, à l'égard du Québec en particulier, que ne l'était le gouvernement libéral. Pour la première fois depuis longtemps, les relations entre Québec et Ottawa sont bonnes, sinon excellentes. Des ministres fédéraux comme Marcel Masse, Benoît Bouchard, Monique Vézina sont considérés comme des porte-parole valables du Québec et des interlocuteurs fort agréés du gouvernement québécois. M. Mulroney invite le Québec à signer dans l'honneur, après négociations, la nouvelle constitution.

De son côté, au gouvernement québécois, M. Lévesque parle du «beau risque» du fédéralisme et devient plus ouvert que jamais aux conversations fédérales-provinciales. Le Parti québécois est en passe de renoncer dans l'immédiat à l'objectif de l'indépendance. C'est là la conséquence logique du référendum mais cela ne peut se produire sans la scission qui était déjà prévisible au moment même de la fondation du parti. Au Congrès du P.Q. de janvier 1985, les indépendantistes «orthodoxes» quittent le parti, d'autres y demeurent mais se dissocient de la tendance du gouvernement.

Ainsi, nous voici revenus à l'essentiel du nationalisme québécois, à l'orientation qui avait toujours été majoritaire mais que la polarisation avait fait oublier: l'autonomisme. L'ère de

la polarisation est bel et bien terminée: les affrontements
fédéraux-provinciaux sont plus rares et les deux grands partis
provinciaux se rapprochent de plus en plus du sentiment de
la majorité de la population.

Ce sentiment est toujours nationaliste. Il se manifeste dans
les positions contitutionnelles des deux partis. Le P.L.Q., dans
un document qui s'intitule «Maîtriser l'avenir», réclame un
droit de veto du Québec en matière d'immigration et du pouvoir de dépenser du gouvernement fédéral. Le P.Q. présente
un projet d'accord constitutionnel centré sur la reconnaissance
du peuple québécois et fort acceptable pour les fédéralistes,
à l'exception peut-être d'une exigence de primauté de la Charte
des droits du Québec sur celle d'Ottawa. Plus que jamais, les
deux grands partis se ressemblent quant à leur nationalisme
et à leur fédéralisme.

La victoire libérale du 2 décembre 1985 ne saurait donc
apparaître comme le rejet du nationalisme. Sans doute, la
volonté de changement des électeurs est inspirée par une attention portée sur des problèmes qui ont peu à voir avec le nationalisme et sur un certain désenchantement quant aux années
de gouvernement péquiste très marquées par le nationalisme.
Mais n'a-t-on pas plutôt reproché au Parti québécois son
impuissance devant la crise, son intransigeance face aux
employés du secteur public, sa parcimonie en matière sociale?
Il serait bien étonnant que le gouvernement libéral dirigé par
M. Robert Bourassa renonce aux grandes orientations consen-
suelles quant au statut du Québec dans la Confédération
canadienne.

Le nationalisme québécois est donc toujours bien vivant. Mais
il est devenu plus discret que jamais en raison d'un certain
nombre de facteurs. D'abord, l'idéal de la souveraineté étant
à toutes fins pratiques disparu de la scène politique, bien que
toujours présent dans les aspirations d'une importante minorité, cela enlève au nationalisme québécois un ingrédient qui
lui a souvent donné son allure flamboyante et redoutable.

Ensuite, et c'est probablement là le facteur essentiel au coeur
du malaise du nationalisme, le mouvement a perdu ce qui cons-

tituait son moteur et son dynamisme. Comme on l'a vu plus haut, l'étatisme n'est plus de mise au Québec, bien que le gouvernement n'ait pas renoncé à l'interventionnisme. Le nationalisme pourra encore se porter sur l'État du Québec et son rôle à l'occasion de revendications constitutionnelles mais la fierté québécoise se manifestera surtout à d'autres niveaux.

Cela est d'autant plus vrai que la nouvelle classe moyenne est composée de personnes peu enclines à valoriser l'État. Contrairement à la classe des fonctionnaires de la Révolution tranquille, les gens d'affaires du Québec insistent sur les vertus de l'entreprise privée et des initiatives individuelles souvent à l'encontre des interventions de l'État. Mais le nationalisme n'est pas pour autant absent de ces milieux. Les francophones y sont souvent bien conscients de la fragilité de leurs positions. Même si l'on aime proclamer que la réussite économique n'a rien à voir avec l'appartenance nationale, de part et d'autre, anglophones et francophones continuent à manifester des rivalités sinon de l'hostilité. Entre l'Ontario et le Québec, à tout le moins, la concurrence est farouche. La Bourse de Toronto, par exemple, prend ombrage de ce que la Bourse de Montréal soit en expansion, grâce en particulier au régime québécois d'épargne-action. D'autres milieux craignent la puissance de la Caisse de dépôt et de placements et incitent le gouvernement fédéral à déposer un projet de loi pour limiter les opérations de la Caisse. Unanimement, dans un geste impressionnant de solidarité, des dirigeants d'entreprise québécois francophones s'opposent, en 1983, au projet S-31. Sans doute, ces cadres ne brandissent pas les drapeaux et ne marchent pas dans la rue mais plusieurs d'entre eux semblent animés par un nationalisme qui consiste à protéger leur place au soleil, en tant que Québécois.

Ce nationalisme discret semble bien se rapprocher de plus en plus du modèle autonomiste qui a été décrit au chapitre premier[1] et dont l'essentiel tient à une certaine distance quant

1. Voir pages 32-35.

à la structure étatique, alliée à une volonté d'intégration internationale. Le Québec de 1986 est toujours une patrie pour la grande majorité des Québécois mais l'heure est à la décentralisation.

Les Québécois d'aujourd'hui et de demain semblent disposés à élaborer eux-mêmes, à des niveaux locaux, leur projet de société plutôt que de s'en remettre à leur gouvernement. Ils veulent aussi, sans renoncer à leur enracinement ni à l'autonomie politique de l'État québécois, élargir leurs horizons de plus en plus. Cela signifie une acceptation plus généreuse du cadre canadien et aussi du cadre nord-américain. Les jeunes Québécois vivent désormais, dit-on, à l'heure des États-Unis et le libre échange canado-américain pourrait bien venir renforcer cette tendance. Il semble même que le dynamisme économique du Québec soit fonction de ses échanges avec les États-Unis.

Ce nationalisme autonomiste légèrement anti-étatiste et résolument ouvert à certaines formes d'intégration apparaît aujourd'hui comme le pari de plusieurs petits peuples à l'échelle de la planète. Ce pari s'accompagne de défis considérables, peut-être insurmontables. Les Québécois, pour leur part, continuent d'y croire.

Mais, en même temps, la notion d'identité québécoise est en voie de mutation. Déjà, être Québécois aujourd'hui signifie quelque chose de profondément différent de ce qu'on entendait il y a vingt ans. On ne saurait donc bien entrevoir l'évolution du nationalisme québécois sans s'arrêter à considérer le nouveau visage du Québec des années quatre-vingt.

Nouveau visage du Québec

Il faut d'abord se tourner vers Montréal pour bien apercevoir l'évolution culturelle du Québec contemporain. Bien sûr, Montréal n'est pas le Québec et il faut le rappeler souvent à ces incurables insulaires que sont les Montréalais. Mais la métropole est le centre culturel du Québec. C'est elle qui iné-

vitablement donne le ton au reste du Québec et c'est d'elle
que proviennent les grandes orientations de la société québécoise. Le nationalisme québécois, entre autres, est né à
Montréal.

Un des corollaires évidents des années nationalistes, c'est
la brisure des cocons des deux solitudes. Cela peut paraître
étrange quand on considère combien grande a été l'amertume
de la communauté anglophone, entre autres à l'égard de la loi
101. Mais, une fois les grandes vagues de colère passées, il
semble bien qu'une sorte d'équilibre a été atteint. Des anglophones ont quitté. Ceux qui sont demeurés ont fait un effort
remarquable pour s'adapter et les francophones, de leur côté,
ont fait preuve de plus d'ouverture et de plus de souplesse.
La loi 101 a perdu beaucoup de sa rigidité en raison des jugements de la Cour et de certains autres aménagements. Elle a
cessé de faire peur aux anglophones et elle a aidé les francophones à se sentir moins méfiants vis-à-vis des anglophones.
La ville de Montréal est donc en train de devenir un lieu privilégié et fécond de dialogue entre les deux cultures. Les anglophones québécois s'intéressent davantage aux manifestations culturelles francophones. Le journal *The Gazette,* par exemple,
est devenu plus québécois que jamais. Les francophones, pour
leur part, s'ouvrent de plus en plus à la culture anglo-
québécoise. Les jeunes, en particulier, ayant plus ou moins
abandonné la chanson québécoise (ce qui peut être inquiétant)
sont résolument tournés vers une musique qui se chante en
anglais. Il en résulte une sorte de mixture culturelle proprement montréalaise dont les meilleurs éléments sont encore à
venir. Les prophètes de malheur craignent le pire. Mais il n'est
pas sûr que la langue française soit perdante à ce jeu
d'interaction[2].

Montréal est aussi un carrefour de cultures ethniques particulières. Peut-être à cause de la dualité linguistique qui ouvre
la porte à la variété et empêche la standardisation, les com-

2. Voir Paul Morisset, «La face cachée de la culture québécoise», L'*Actualité,*
Montréal, novembre 1985, pp. 81-87. L'auteur parle d'une nouvelle culture hybride.

munautés culturelles se manifestent davantage à Montréal que partout ailleurs au Canada[3]. De plus, en raison de la loi 101, des communautés cessent de se retrancher par rapport à la majorité francophone et s'intègrent de mieux en mieux au Québec dans son ensemble. Comme on l'a vu au chapitre huitième, il reste beaucoup à faire pour que le Québec devienne vraiment multiethnique et francophone à la fois. En particulier, la diversité ethnique du Québec devrait être davantage reflétée au niveau du gouvernement et de la fonction publique. Le Parti québécois, en dépit de louables efforts, continue d'être perçu avec suspicion par la majorité des groupes ethniques. À cet égard, le gouvernement de M. Bourassa est en bien meilleure posture pour assurer une représentation équitable de toutes les communautés culturelles. Le P.L.Q. demeurera, pour quelque temps, la voie privilégiée de l'intégration des minorités ethniques.

La diversité ethnique du Québec est un aspect d'autant plus important que sa croissance démographique n'est plus assurée désormais que par l'immigration. En raison de nombreux départs et d'un taux de fécondité trop faible, le Québec a récemment enregistré un solde démographique négatif. L'hémorragie des départs est en bonne voie d'être stoppée à la faveur de la reprise économique. Mais le taux de fécondité des femmes québécoises est devenu l'un des plus faibles en Occident. C'est là un phénomène alarmant qu'on peut espérer voir corriger par des politiques natalistes, comme cela s'est fait ailleurs. Mais cela ne sera pas suffisant pour que la population québécoise maintienne une masse critique lui permettant de préserver le réseau d'institutions qui assure sa spécificité. Il faudra donc compter sur l'immigration. En conséquence le visage du Québec deviendra de plus en plus divers et varié quant aux origines ethniques de la population.

Il sera important de veiller à ce que des attitudes de discrimination raciale, comme cela a commencé de se produire à

3. Voir Pierre Anctil, «Multiplicité ethnoculturelle à Montréal», *Recherches sociographiques*, XXV, 3, 1984, p. 446.

Montréal, ne viennent pas nuire au développement harmonieux du Québec. La tâche ne sera sûrement pas facile mais il faudra toujours rappeler que l'évolution démographique est intimement liée à l'immigration.

La société québécoise de demain sera à la fois très ouverte à toutes sortes d'influences de l'extérieur et plutôt hétérogène quant à sa composition ethnique. Dans ces conditions, qu'en sera-t-il du nationalisme québécois? Dans la mesure où le Québec demeurera francophone et bien distinct culturellement du reste de l'Amérique du Nord (ce qui n'est jamais tout à fait assuré), un besoin d'affirmation et de reconnaissance d'une identité singulière se manifestera. Mais quelle sera cette identité? Pourra-t-elle se situer dans une sorte de continuité avec le passé? Cela représentera sûrement un défi mais pourquoi ne serait-ce pas possible? La culture québécoise de demain sera probablement aussi différente de celle d'hier que la culture américaine d'aujourd'hui l'est de celle des Yankees du 18e siècle. Si la culture américaine conserve un lien avec ses origines, pourquoi en irait-il autrement de la culture québécoise? Il est vrai que la vitalité du Québec ne saurait se comparer à celle des États-Unis. Voilà pourquoi la survivance d'une culture francophone a toujours représenté un défi particulier. Mais si ce défi est relevé, ce ne pourra l'être qu'en raison d'une évolution dynamique de la culture québécoise vers une grande hétérogénéité ethnique.

Un certain nationalisme accompagnera toujours vraisemblablement cette évolution. Mais verra-t-on jamais réapparaître une ferveur semblable à celle des années soixante et soixante-dix?

Résurgence du nationalisme?

La résurgence du nationalisme au Québec est toujours possible. Si le phénomène est réapparu après avoir presque disparu dans le passé, on peut croire que cela se produira encore dans l'avenir. Voici d'ailleurs quelques données susceptibles d'y contribuer.

Il faut supposer, bien entendu, que les francophones québécois ne seront pas assimilés, qu'ils continueront de se constituer en société distincte durant un certain temps. Il n'y a pas là de certitude mais supposons tout de même ce fait. Si donc une société francophone perdure, il est certain que son existence sera fragile et menacée. Que la perception et la conscience de cette fragilité s'accroissent dans la population et en particulier chez des élites dont le sort est lié à la société en question et vous verrez réapparaître le nationalisme.

Que l'on songe seulement à cette nouvelle bourgeoisie québécoise; il est aisé de se rendre compte que, si elle fait preuve présentement d'un certain dynamisme, elle n'est pas pour autant à l'épreuve des vents et marées d'une majorité anglophone en Amérique du Nord. Il est loin d'être impensable qu'elle prenne un jour une conscience plus aiguë des menaces auxquelles elle doit faire face et de sa fragilité relative comme groupe social. Elle pourrait bien alors avoir recours à un nationalisme plus explicite et plus ardent. Quant à la population, si elle devait à nouveau se voir envahie par l'usage de la langue anglaise à certains niveaux des communications, elle serait facilement susceptible de s'engager à nouveau dans le nationalisme.

Il n'est pas impensable non plus que, selon le mouvement du pendule, on soit tenté d'avoir recours à nouveau à l'État. L'entreprise privée québécoise, il ne faut pas l'oublier, repose souvent sur la présence active, bien que minoritaire, de capitaux injectés par le secteur public ou coopératif (comme la Caisse de dépôt ou le Mouvement Desjardins). Elle pourra peut-être un jour se dégager tout à fait de cette dépendance. Mais il se peut bien aussi qu'elle doive avoir recours davantage à l'aide de l'État. Il est difficile de penser qu'un petit peuple comme celui du Québec n'ait pas tendance à s'appuyer encore dans l'avenir sur l'instrument politique de sa solidarité. Si cela se produisait, le nationalisme reviendrait en force sous sa forme étatique.

Ajoutez à cela les fortes possibilités qui se dessinent d'un renforcement de l'axe des échanges économiques nord-sud aux dépens de l'axe est-ouest. Le Québec est encore très intégré à la structure économique canadienne dont il dépend pour la protection de ses entreprises les plus fragiles, les secteurs mous de l'industrie. Cette dépendance du reste du Canada est probablement ce qui a rendu les Québécois si prudents jusqu'ici quant à la souveraineté. Si l'économie québécoise, dans le cadre de la libéralisation des échanges, non seulement avec les États-Unis mais aussi avec le reste du monde, devenait moins dépendante d'une structure canadienne (qui est, en somme, la raison d'être du système confédératif), les Québécois pourraient être tentés de faire cavaliers seuls.

Cela ne pourrait se produire, sans doute, qu'à la suite d'une lente évolution et devrait s'accompagner d'un mouvement réciproque au Canada anglais. Il existe déjà des signes de désintéressement marqué de la part des autres provinces quant au Québec. Depuis le référendum, le mépris et l'ignorance à l'égard du Québec ont refait surface dans bien des milieux du Canada anglais. Si cela devait se manifester plus visiblement, par exemple à l'occasion des négociations constitutionnelles, la température pourrait bien grimper à nouveau au thermomètre nationaliste québécois.

Les générations se suivent et ne se ressemblent pas. À la jeunesse actuelle pourrait succéder dans quelque dix ou quinze ans une génération plus ardente, plus consciente de la fragilité de sa culture et de sa langue. Il n'est pas dit que les acquis du nationalisme québécois seront toujours préservés, que la confiance demeurera, que l'équilibre linguistique de Montréal sera préservé. L'indifférence actuelle quant à l'identité culturelle et linguistique chez les jeunes Québécois peut faire place à nouveau à des préoccupations nationalistes.

Enfin, le pendule pourrait encore ramener les Québécois à de nouvelles formes de spiritualisme ou d'idéalisme. Il ne s'agit pas d'évoquer le retour aux «missions providentielles» des clercs canadiens-français. Mais il serait vraisemblable qu'on en vienne à critiquer sérieusement l'obsession contemporaine du virage technologique et l'économisme à la mode du jour, c'est-à-dire la tendance à tout ramener aux questions économiques formulées le plus souvent en termes quantitatifs. De même qu'on s'est révolté contre la myopie économique de nos ancêtres, ne pourrait-on pas s'en prendre aux analyses à courte vue de la «physique sociale» contemporaine? Déjà s'opère une sorte de révolution du qualitatif par rapport au quantitatif dans certains milieux. S'il fallait que cette tendance, encore faible, s'en prenne à une sorte de conception de la vie fondée de plus en plus sur le seul bien-être économique et matériel, on pourrait voir réapparaître un nouveau spiritualisme et peut-être en même temps de nouvelles formes d'esprit communautaire et de nationalisme.

Cela demeure sans doute du domaine de la haute conjecture. Ce qui l'est beaucoup moins cependant, c'est que le Québec demeurera longtemps le seul îlot francophone viable de l'Amérique du Nord, le seul endroit où on pourra concevoir une société reposant sur l'existence de réseaux d'institutions et de communications francophones. Il est loin d'être assuré que cette francophonie nord-américaine soit préservée longtemps. Ce qui est assuré toutefois, c'est que, aussi longtemps qu'un Québec francophone existera, son existence représentera une sorte de défi.

Les défis de cet ordre sont rarement exempts d'une forme ou l'autre de nationalisme.

CONCLUSION

La conclusion de cet ouvrage s'impose d'elle-même et rejoint la première phrase de l'introduction : le nationalisme est intimement lié à l'évolution du Québec. Pour un petit peuple comme celui du Québec, le nationalisme devient un ingrédient presque indispensable à l'existence, à la survie, au développement.

Le mouvement a pris des formes fort diverses au cours de l'histoire. Il est apparu à la fois moderne et traditionnel au début du 19e siècle. À l'occasion de la faillite de ce premier nationalisme et d'un pouvoir clérical accru, on a assisté au retranchement des Canadiens français dans la tradition et aux manifestations d'une conscience collective de minoritaires. La modernisation du Québec aura brisé le traditionalisme et provoqué une nouvelle conscience collective axée sur le contrôle d'un réseau proprement québécois majoritairement francophone. Ce nationalisme étatiste et souverainiste s'est à son tour heurté, dans le cadre d'une conjoncture économique particulière, à la résistance des volontés d'appartenance à l'ensemble canadien liées à la prudence congénitale des Québécois. Le nationalisme québécois n'a conservé que son visage proprement autonomiste et modéré.

C'est d'ailleurs ce visage modéré qui s'est manifesté le plus souvent dans l'histoire du Québec. À deux reprises seulement au cours de deux cents ans d'histoire, des élites ont voulu donner le grand coup. Deux grands projets politiques ont été conçus dans des circonstances fort différentes et selon des formes aussi différentes. Mais le rêve était sensiblement le même pour les Patriotes et pour les indépendantistes du Parti québécois: assurer à une classe proprement québécoise et francophone le contrôle plus ou moins complet de la société du Québec. Les deux mouvements ont engendré beaucoup d'enthousiasme, beaucoup de passion mais ils se sont développés tous les deux au-delà de ce qu'une majorité de la population voulait bien endosser. En conséquence, et bien contrairement à leur mission initiale, ils ont contribué à polariser, à diviser la population qu'ils devaient rassembler. À chaque fois, le nationalisme souverainiste s'est résorbé en autonomisme, c'est-à-dire en une affirmation de l'identité à l'intérieur d'un cadre plus vaste.

Cet autonomisme a été conçu bien différemment d'une période à l'autre. Il a été axé jadis sur la tradition et sur des valeurs religieuses; il se manifeste aujourd'hui dans une société sécularisée en pleine mutation. Mais il apparaît toujours comme une volonté d'affirmation d'une identité collective distincte fondée sur quelques caractéristiques socio-culturelles liées à l'usage de la langue française dans sa variante québécoise.

Car si l'on se demande s'il y a commune mesure entre la conscience nationale des «Canadiens» de 1800 et celle des Québécois en marche vers l'an 2000, on doit retenir surtout, au-delà des différences profondes, une volonté plus ou moins explicite de vivre en français. Les porte-parole «canadiens» de 1800 s'appuyaient surtout sur leurs traditions d'ancien régime. Les Québécois contemporains s'intéressent davantage au développement économique. Mais dans les deux cas, l'usage de la langue française, sans être primordial, est considéré comme allant de soi, dans un univers où toutes sortes de pressions invitent à l'anglicisation. L'utilisation d'une langue propre est donc le facteur constant du nationalisme au Québec. D'où l'intérêt d'analyser ce nationalisme en fonction des communications sur un territoire donné, surtout à une époque de multiplication des messages et transactions de toutes sortes.

Le nationalisme des Canadiens, Canadiens français, Québécois aura donc été, en dehors de quelques périodes relativement courtes, plutôt modéré. Il est vrai qu'on a toujours parlé beaucoup du phénomène au Québec. Ici plus qu'ailleurs, une fraction importante des élites s'est affirmée volontiers comme nationaliste. Mais, somme toute, le nationalisme n'a jamais été très radical. Qu'on compare seulement le Québec à ses deux métropoles culturelles privilégiées, la France et les États-Unis. Dans ces deux grands pays, le mot «nationalisme» est rarement employé. Peu de personnes veulent s'identifier comme nationalistes. Mais quel usage des symboles nationaux, combien de cérémonies nationales et quelle fierté nationale! Au Québec, par contre, jamais on n'aurait songé à placer des drapeaux dans les églises, à instaurer des prestations d'allégeance à la nation dans les écoles. L'évocation de la patrie, canadienne, canadienne-française ou québécoise, a été le plus souvent bien réservée en comparaison des manifestations de «patriotisme» français ou américain. En fait, le nationalisme des Québécois aura rarement atteint une intensité telle qu'il en vienne à occuper tout le champ des préoccupations. Presque toujours, le nationalisme a été vécu par la majorité de la population dans l'ambiguïté. Les Canadiens du temps des Patriotes ont voulu être à la fois fidèles à leur héritage et loyaux à la Couronne britannique. Les Canadiens français entendaient le message de leurs dirigeants cléricaux mais ils acceptaient aussi l'industrialisation et le modernisme nord-américain. Les Québécois ont eu «le goût du Québec» sans vouloir rompre avec l'ensemble canadien. Même le rêve d'un Québec souverain n'a pas été dissocié de perspectives d'intégration économique.

On a donc voulu, la plupart du temps, agir sur deux fronts sinon sur plusieurs. Cela s'est traduit récemment par une consolidation du Québec accompagnée d'une présence plus active à Ottawa et d'une nouvelle fierté des groupes francophones minoritaires hors Québec. On a refusé de croire que la force du Québec affaiblirait les minorités ou que les gains des francophones hors Québec atténueraient le pouvoir québécois.

Aujourd'hui plus que jamais, le pari des Québécois consite à miser sur tous les tableaux: le Québec, le Canada, l'Amérique du Nord, la francophonie, le monde. Le nationalisme, en deux cents ans d'histoire, aura pu être une entrave à ce pari de l'ouverture. Il a occulté bien des choses mais il a signé une fidélité qui permet encore une existence difficile mais originale. Dans l'ensemble, le bilan du nationalisme au Québec est positif.

TABLE DES MATIÈRES

*Cet ouvrage composé en Times corps 12
a été achevé d'imprimer sur les presses
de l'Imprimerie Gagné à Louiseville
en janvier 1990 pour le compte des
Éditions de l'Hexagone*

Imprimé au Québec (Canada)

Imprimé au Québec (Canada)